JN036096

講談社選書メチエ

731

「人間以後」の哲学

人新世を生きる

篠原雅武

MÉTIER

はじめに

二〇〇〇年代後半以降、哲学的な思考は「人間から遠のく世界」や「人間不在の世界」に向かっている。人間から離れていて、人間から遠のく世界。人間には達することのできない境地にある世界。たとえ人間がすべて消えても、人間が定めた名前や分類のための図式がすべて消えても、それでも残ってしまうものとしての世界。私たちは、そのような世界にとりまかれ、浸透されている。私たちは、そのような世界に対峙し、思考を新たに始めようとしている。問われているのは、人間が自分たちの生存のために形成してきた人為的秩序としての人間世界と相関しない世界であり、この世界ゆえに、自然な秩序とは区別される人為的秩序が、脆(もろ)く、定まらないものとして成り立ってしまっている、という現実である。

これまでのところ、近代以降の人間は、生きた自然が織り成す有機体的な秩序からはみ出したところに自らの秩序を構築し、その秩序を文化として、象徴交換の体系として、コミュニケーション的行為のための公共圏として確立し、自らの存在の根拠にすると考えられてきた[1]。ところが、今や人間は、自分たちをとりまく世界が、人為的秩序そのものから遠のくだけでなく、そのコントロールを外れてしまうものへと変容しつつあるのを目の当たりにしている。地球温暖化、人新世、パンデミックの脅威、ＡＩの進化、内戦と国家崩壊といった問題群が新たに浮上するなか、人間の意識や言語と相関するものとして構築された人為的秩序は、じつは脆く、崩壊すれすれの状態で成り立っているものであるだけでなく、人間から遠のく世界の一部分として、つまりは人間ならざるものたちが織り成す相互連関の網の目としての世界のただなかに存在するものであることが、新たに発見されようとしている。それにともなって、哲学的考察のあり方も、根本的に変わらざるを得ない。

本書『「人間以後」の哲学』は、現在進行途上にある哲学的な思考の変化を、人間的秩序を外れたところで進展していく世界の変化の兆候として捉え、さまざまな論文や著作を読み解きながら、その理路を探っていく。本書の課題は、さしあたり三つに要約できる。

(1)脆さと定まらなさという実存感覚(sense of fragility)、人間的な尺度を離れたところに広がっている世界のなかの一部分として生きるようになっているという感覚の内実を問うこと。

(2)人間から離れているが人間もまた住みつくところとしての世界をめぐる考察として現代の哲学・思想を読み解くこと。重要なのが、人新世の学説である(人新世については、拙著(篠原 二〇一八)で論じたので参照されたい)。二〇〇〇年代に提唱されたこの学説によると、二酸化炭素排出やダム建設、高速道路、埋め立てといった人間活動が、地球のあり方を根本的に変えてしまった。この変化は、人間の生存条件にまで及ぶ、根底的な影響をもたらすことになるだろう。本書は、この学説の衝撃を受けとめたうえで、現代の哲学・思想の潮流を世界の転換の兆候として読み解き、人間の条件の哲学的な再設定のための指針を導き出すことを試みる。

(3)人間の内部にはない、つまりは人間的尺度を外れた世界は、かたちなきかたちの世界、沈黙と無音、アンビエンス、痕跡的な事物、アンダーコモンズの世界である。かたちはなく、無音だが、それでも独特の、痕跡的でかたちなき事物性がある。にもかかわらず、普段私たちが常識的に存在すると考えている日常の生活世界に埋没しているかぎり、それをとりまく世界の事物性は感覚されないし思考もされない。本書は、生活世界とそれをとりまく事物の世界の差異に関心を向ける。

私たちが経験しつつある人間の文明の危機は、人間の生存の危機にかかわる事態だといえるが、人間が消滅の危機にさらされることで、逆説的にも人間は地球的な条件の下で住みつく存在であることが見出されていく。重要なのは、人間をただ生き延びさせることだけでなく、人間を生気ある人間にするもの、人間として生かすものとしての実存的な条件を新たに発案することである。人間が消滅してもなお残りうるものとして地球的条件が見出されるなか、そこにおいて、人間をも一部分とする諸存在の共存形式を新たに発案することである。

ところで、人間存在の条件を説明するのに脆さと繊細さを意味する言葉としての“fragile”を用いるのは、私の独創ではない。私は、ティモシー・モートンの思考から示唆を得て、この言葉を用いている（モートンの思想については、拙著（篠原 二〇一六a）で論じたので参照されたい）。『自然なきエコロジー』（二〇〇七年）や『エコロジカルな思考』（二〇一〇年）において、モートンは、人間が生きているところを「とりまくもの」として捉え、そこにある相互連関的な網の目のなかで共存している状態こそがエコロジカルなものであるという考え方を提示した。それは「己を内包してくれる世界への穏やかな感覚」（Morton 2002, p. 56）が漂うところである。

ただし、モートンは、人間が生き住みつくところとしての世界そのものを、「死」や「消滅」との接点で考えている。「とりまくもの」や相互連関の網の目という言葉が示す何ものかは、それ自体、脆いもの、壊れやすいもの、繊細なもの、定まることのないものとして存在している。

モートンは「存在するためには、ものは脆くて繊細でなければならない」（Morton 2013a, p. 188）と述べている。脆く繊細でないかぎり、ものは存在することができない、ということでもある。脆さと繊細さが、ものの存在の根拠である。脆くて繊細だからこそ、存在できている。脆さにおいて存在することは、ともすれば壊れてしまう状態で存在するということでもある。世界は、脆さにおいて存在している。私たちは、世界の脆さのリアリティを、私たちがいるところとしての場所にかかわる事態として経験している。人間の言葉による把握に先行する、事物を素材に構築されたところとしての場所そのものの脆さとして、経験している。そして世界は、人間的な尺度を超えた時空において、人間もまた偶々住みつくことのできるところとして成り立っている。この状態を、どのように考えたらいいのか。この状態への洞察は、人間生活を営んでいる私たちにとって、どれほどの意味があるのか。

本書は、「私たちは世界の終わりの後の状況を生きている」（Morton 2013b, p. 7）というモートンの一文からヒントを得ている。それは、人間的尺度との相関において成り立つものと考えられる人間世界とそれをとりまく背景としての世界の区分の崩壊を意味している。この区分の崩壊の後、私たちは、人間的尺度だけが支配的だったときには意識化されることのなかった諸々の存在が私たちをとりまいていることに気づく。

だが、モートンの思想は、孤立して存在しているのではない。モートンと同じ時代、つまりは二一世紀初頭に、人間もまた住まうところとしての世界の定まらなさ、脆さ、事物性をめぐる議論が湧き起こった。グレアム・ハーマン、カンタン・メイヤスー、ディペッシュ・チャクラバルティ、マルクス・ガブリエル、エドゥアルド・ヴィヴェイロス・デ・カストロ、マサオ・ミヨシ、フレッド・モーテン、クレア・コールブルックは、人間の消滅という理論的課題を、人間世界の定まらなさ、事物性に関心を向けていくことで考えようとしている。人間世界の定まらなさとは、そこが人間的尺度を外れたところにある世界との接触面においてある状態を意味している。人間ならざるものもまた生きているところとしての世界に根ざし、それによって侵食されている状態を意味している。

「人間以後」を問うことは、人間の消滅を意味しない。それは、世界の変容とともに、人間のあり方もまた変わってしまったことを認め、そのうえで、人間がどうなっているのか、人間がどのようなものとして生きるのかを問うことを意味している。

「人間以後」の哲学◉目次

プロローグ　2019.8.3

二〇一九年八月三日、フランス人のキリアンさんからメールが届いた。

私は建築学科の学生で、建築と社会、自然災害について勉強しています。日本の大学に交換留学生として来ていて、数日関西に滞在するので、あなたと話をしたいのです。

キリアンさんの感触では、最近の日本の建築家たちは、建築単体だけでなく、周辺環境を含めて考えながら実践している人が多い。彼が知りたいのは、その理由は何なのか、であった。

「思うに、震災のショックも大きいと思います」――私はそう答えた。建築も、人間生活のための土台であり、その条件としてつくりだされた人工物である。普通それは、壊れることのない、安定的なものとして維持されていると思われている。そのときには、建築、さらにはそこで生きている人たちをとりまくもののことなど考えない。地震や津波のような、人間世界の何もかもを一瞬のうちに破壊して瓦礫の山にしてしまう出来事が発生しないかぎり、自分たちの生活を現実に支えてくれる条件が何であるかを考えることなどあるはずがない。

「そのとき、何が発見されたのでしょう？」――私は「やはり、脆(もろ)さの感覚、壊れやすさの感覚

(sense of fragility)だと思います」といった。自分の身体が直接つらなる「地面についた世界」そのものが潜在的に不安定性を抱え込んでいる。定まることのない世界。この現実が、二〇一一年の震災で再発見された。地震は、家屋を倒壊させ、瓦礫という、事物の散乱状態を到来させる。そこで人間世界は消滅しないが、それでも、人がそのうちに生きていたときとは違う、破綻状態へと移行する。ここで起きているのは、無数の事物をまとめあげ構築していくところに成り立つ生活の条件の崩壊である。[1]

いったい何が崩壊したのか。ただ建物が壊れたとか、道路が割れたとか、そういうことだけではない。崩壊は、物理法則に従うだけの客観的な自然現象というだけでなく、生きることの条件にかかわる実存的な事態、つまり、人間が存在すること、生存することの条件そのものにかかわる事態だと思われる。この事態を考えるためにも、現実世界にかんする思想的設定を根本的に変えることが求められる。

人間世界は、それをとりまく自然世界の一部でしかない。そのようなちっぽけなところにおいて、人間もまた生きている——そう考えることが求められているのだが、それは簡単なことではないのかもしれない。というのも、科学文明のおかげで生活は便利になったが、そこで私たちは、人間生活が自然との接点において、自然世界にとりまかれるところにおいて営まれている、という現実に無感覚になっているからである。人間の生活は、私たちの願いや意識にはまったく無関心な、人間的尺度を離れたところで存在する広大な自然世界の一部分でしかないのに、このことに無感覚になる。それにともなって、人間の思考も、自然世界を離れたところに構築された人間世界に適合的なものとなり、人間世界をとりまくものをも含めて考えることができなくなっていく。

本書で私は、この思想的行き詰まりから抜け出すために、二〇〇〇年代後半に始まる哲学的な思考の成果を読解していく。そこで重要なのが、「人間は、人間から離れた世界に住みつく」というグレアム・ハーマン（一九六八年生）のアイデアである。ハーマンは、博士論文をもとにした著書『道具存在』（二〇〇二年）で、ハイデガーの哲学をその主要概念の一つである「道具存在」を手がかりに「ものそれ自体」の存在論として読み直していく。その読解は「理論的な抽象性に対する実践の優位」や「ものそのものに対する言語的ネットワークの優位」を主張するものとしてハイデガーを捉える従来の解釈に対する批判でもある。ハーマンは自らの基本主張にかんして次のように述べている。

> 帰向存在（Zuhandenheit）は、ものにかかわるが、それは、ものが人間の視野から離脱して暗く隠れた現実（dark subterranean reality）へと離れるかぎりにおいてである。この現実は、理論的な自覚においても実践的な行為においても現前することがない。[2]（Harman 2002, p. 1）

ものが他のものに向かい相互に連関していく状態としての帰向存在においてある諸物は、そこに人間がいるかどうかとはかかわりなく、それ自体で存在する。これをハーマンは「暗く隠れた現実」と言い表すが、暗さ、隠れているということをどう考えるのか、何が暗くて隠れているのかを問うことが、さらなる課題になるだろうと私は考える。実際、ハーマンは、その後の『ゲリラ形而上学』（二〇〇五年）で、人間から離れた世界における事物同士の相互作用と関係が生じるところをめぐって考えるようになった。

この頃のハーマンは、おそらくハイデガーや現象学の研究者サークルのなかで著書を出し論文を書いていたのだろうが、彼の議論は独創的なものと考えられるので、手堅いハイデガー学者やレヴィナス学者からはまともに相手にされなかったに違いない。ところが、二〇〇六年、ハーマンはカンタン・メイヤスー（一九六七年生）の『有限性の後で』（同年）と出会う。おそらくハーマンにとって決定的な出会いだったに違いない。自分が考えているのと同じようなことを考えている人がフランスにいたのだから。ハーマンは、メイヤスーの哲学においては「人間の思考の外側にある諸々の存在の自律的な現実」が重要課題だと考えている。「メイヤスーの考えでは、人間の思考の外側につねに何かが存在している。そして、この思考は、まったく偶然的である」（Harman 2011, p. 9）。

メイヤスーの著作との出会いを経て、ハーマンは二〇〇七年にはロンドン大学ゴールドスミス・カレッジで新しい思想潮流としての「思弁的実在論」を主題とする学術会議の開催に関与していく（Brassier, Grant, Harman, and Meillassoux 2012）。ここから始まった潮流は、私たちが生きているところとしての世界をめぐる思考の基本設定の変化を的確に表現しうるものとして受容され、現在進行形の思想として展開していく。

この潮流に、ティモシー・モートン（一九六八年生）も反応した。モートンは『自然なきエコロジー』（二〇〇七年）以来の新しい環境哲学の試みと同時代的なものとして受けとめていく。まずは『エコロジカルな思考』（二〇一〇年）で「ハイパーオブジェクト」という言葉を打ち出し（Morton 2010, p. 130）、その後の『ハイパーオブジェクト』（二〇一三年）では、思弁的実在論における世界をめぐる考察を、現在の人新世的状況で経験されていることを考えるためのものとして読み替えていく。モートンの考えでは、思弁的実在論は「人間の歴史と地球の地質的なものとの恐るべき一致」としての人新世と同時代的である（Morton 2013b, p. 9）。人間がじつは人間の尺度を離れたところに存在している地球で生きているという現実を考えるためにも、人間を離れたものとしての世界との関係のなかにあるものとして人間世界を考えることが求められる。

モートンは、人間だけの居住地として自己完結したところとして世界を考えようとすることが困難になる、と主張する。それが、彼のいう「世界の終わり」である。それはまずワットの蒸気機関の発明（一七六五年）で始まり、一九四五年のマンハッタン計画と広島および長崎への原爆投下で加速された。二酸化炭素と核物質の人為的増加は地球のあり方を変えていくが、のみならず、人間世界のあり方をも変えていく（ibid., p. 7）。

モートンは「世界の終わりはハイパーオブジェクトの侵食によって引き起こされる」という。ハイパーオブジェクトとは「人間とのかかわりにおいて、時空で膨大に撒き散らされる事物」を意味しているが（ibid., p. 1）、モートンは、世界においては人間的尺度を離れたところで事物の膨大な拡散が起こると考え、その一部分として人間の生活世界が成り立っていると考える。

ハーマンも、モートンの思想に注目し、両者の関心が類似したところに向けられていることにも気づいている。すなわち、ハーマンのいう「リアルなもの」と同様のことをモートンが考えていることに気づいている。ハーマンが「私が見ているかどうかとはかかわりなく存在しているだけでなく、私が見ているそれらの部分とは共約不可能なもの」として、「人間の直接的なアクセスから退隠しているもの」として考えている何ものかが、モートンのいう「ハイパーオブジェクト」に近いことを認めている（Harman 2012, p. 18)。

だが、ハーマンは、自分たちの思想のあいだに不一致があるとも考えている。ハーマンの「オブジェクト指向存在論（OOO)」における「リアルなもの」は同一性を特質とするのに対して、モートンは（おそらくデリダに影響されて）「何であれ本質的な同一性を持つことがない」と考えているというのが、ハーマンの主張である。たしかにモートンは、独立していて固定的なものとして、事物を考えていない。ゆえに、ハーマンの主張は誤りではない。だが、ハーマンは、モートンが事物に同一性のなさを感じ、定まらなさを感じるのはなぜかについて、しっかり議論していない。私の見るところ、モートンはそれを、脆さ、繊細さとして考えている。すなわち、「存在するためには、ものは脆くて繊細でなければならない」と。続けてモートンは次のように述べる。

> これは当然のことだが、それでもその深い存在論的理由について考えるとき、それはきわめてミステリアスである。すなわち、結局のところ、ものはいつも私たちのまわりで死んでいく。たとえそれらが他のものを生み出すことになるのだとしても。ものにある感じ、感触は、それが消えていくことへの哀歌（エレジー）である。(Morton 2013a, p. 188)

モートンの考えでは、ものはただ定まらないというだけでなく、消えてしまうものとして存在する。消えるとは、どのようなことか。それは、人間的尺度を離れたところに去ってしまうことを意味する。だが、ものは、あくまでも人間的尺度を離れたところに去ったのであって、完全に消えたのではない。この違いは重要である。人間的尺度の観点からみると、ものは消え、なくなったのかもしれないが、それはじつは人間的尺度を離れたところに去ったのであって、そこに退き、離れただけだともいえる。退き、離れていくところにおいて、人間世界の外縁的な領域において、何ものかが、痕跡のようなものが残される。[3] モートンは、そこに何らかの感触が、感じが生じるといい、その感触としての痕跡に、この世における生きとし生けるものの共存の手がかりを見出そうとする。

モートンの言葉は、哲学書を読んでいるだけでは出てくることのないものである。モートンは、ビョーク（一九六五年生）との往復メールのなかで、彼女の音楽にものすごく影響されていると述べる。

思うに、何十年ものあいだ私は、あなたの音楽と言葉を自分の内にとどめてきた。たとえば私がもちいる「ハイパーオブジェクト」という言葉などは、あなたの言葉の一つのようにも聞こえる。あなたの作品には、とても多くの人間ならざるものがいる。私は事物をアニミズム的なやり方で見ている。私はすべてが生きていると主張しようとしている。(Björk and Morton 2015)

モートンの「ハイパーオブジェクト」は、ビョークの「ハイパーバラッド」（一九九二年）に由来している。なにゆえにビョークの音楽なのか。それは、彼女の音楽がモートンの考えるアートそのものだからである。モートンは、ビョークの作品「オーロラ」（アルバム『ヴェスパタイン』（二〇〇一年）収録）にかんして、次のようにいう。

「オーロラ」における雪の描写は、雪をまさしくあるがままにしておくが、それでいて同時に、なんともいえぬほどにまで感覚的なものがそこに現れている。だが、それを把握することはできない。それゆえに、雪は美しい。(ibid.)

ビョークの音楽は、ものがあることをこの世において許容し、ただ存在させてくれる。だが、音楽において現れてくるのは、感覚的なものである。モートンは、それは把握できないものとして存在する、とも述べている。感覚されるものとして現れているのに把握できるとはかぎらない、ということである。雪の美しさは、それが溶け、消えてしまうことと関係がある。というより、崩壊し消えてしまうこと、つまりは脆さが雪においてはとりわけ顕著になっているだけだと考えることもできるだろう。

モートンは、雪をその脆さにおいて存在させるビョークの歌を、実在の領域として、ないしは環境のようなものとして考えている。その歌において、諸々のものは独立していて、交わることなく、繊細さとともに存在しているが、それでいて出会い、触発し合うことができる。歌が一つの領域をつくる。それをモートンは「美的な領域」と名づける。

事物が本質的に遠のいていて、それの知覚や関係や使用へと還元されることがないのだとしたら、事物が互いを触発するのはそれらの事物の手前にある奇妙な領域においてである。それは痕

跡と足跡の領域であり、美的な領域である。(Morton 2013a, pp. 17-18)

世界は孤立を基調とする。事物も、人も、世界において孤立している。知覚、関係性、使用価値、市民社会、文明とはかかわりなく、意味付与とも解釈ともかかわりなく、事物も人も世界において孤立しながら存在している。ありとあらゆる関係から離れたところに存在している――これがハーマンの『道具存在』における主張であった。そのうえでなおも事物が相互作用しうるとしたら、それはいかなるあり方においてであるか――これが『ゲリラ形而上学』におけるハーマンの問いである。モートンの議論は、ハーマンの問いに対するモートンなりの解答だといえるが、モートンが独自なのは、彼が音楽をはじめとする芸術とともに感じつつ、考えようとしているからである。そこから、相互触発の起こるところとしての美的領域なるものが導き出される。そこは痕跡と足跡の領域である。定まらぬものが崩壊し消滅していく後に残される、残り香のようなものが漂うところとしての領域である。

第1章

世界の終わり?

二〇一八年七月六日、大阪は豪雨だった。午前中、大阪市内で用事を終えたときには外は大雨で、梅田駅では阪急宝塚線の運休を告げるアナウンスが鳴り響いていた。もしかしたら北大阪急行は動いているかもしれない――そう思った私は地下鉄の梅田駅に戻ったが、実際、それは動いていた。電車に乗り、緑地公園駅で降りたとき、私は、ひとまず徒歩で自宅に戻れるところまでたどり着いたことに安堵したものの、それでも、豪雨で電車が停止したことにショックを受けていた。駅の外は、凄まじい雨であった。傘をさしても何にもならず、ズボンもシャツも濡れてしまう。それでも自宅まで歩いたが、ふと私は、自分がどこを歩いているのかよくわからなくなった。そこはいったい、人間の世界なのか。それとも、豪雨の世界なのか。

その二ヵ月後、九月四日には、関西地方に巨大台風が上陸した。そのとき、たまたま仙台にいて直接経験しなかったが、直撃の次の日、大阪に戻った私は、またもショックを受けることになる。近所の神社では樹木が倒壊し、自宅であった借家の屋根瓦は何枚も剝がれ落ちていた。人間的尺度を超えた巨大なものが通りすぎ、吹きすさんだあとの光景だった。

自然現象として見るなら、ただ雨が降り、風が吹いただけのことで、それによって人間の行動が妨げられ、住居やインフラ設備が壊れたというだけのことでしかないのかもしれない。それでも、豪雨や巨大台風において、私は人間の生存条件の根幹が揺さぶられるのを感じてしまう。それだけでなく、人間が生きているところについての基本設定を見直さなくてはならないとも思う。

この漠然とした、いまだ言葉にならない思いに形を与えてくれたのは、モートンの言葉であった。二〇一七年八月、ヒューストンはハリケーンに見舞われたが、当地に在住のモートンはまさにその当事者としてハリケーンを経験する。その一年後に書かれた文章でモートンは、自分はハリケーンの時間を生きていた、と述べている。モートンによると、それは「人間だけの世界に生きているのではないという感覚」である（Morton 2018）。つまり、ハリケーンという人間的尺度を超えたものの一部として人間世界が成り立っている。私たちは、人間世界だけでなく、人間だけで成り立つのではない世界においても生きている。このことを認め、受け入れるとしたら、私たちが生きているところとしての世界についての基本設定を変えなくてはならない。

これが本書の課題の一つである。

人間から離れた世界

「人間以後」の哲学の主題は、人間から離れた、他なるものとしての世界である。ただし、人間から離れた世界は、人間が住みつくところとしての世界でもある。世界は、人間が自らの生活のための場所を組織化していくことの土台であり、条件として存在する。人間の思考とはかならずしも相関せず、離れたところにありながら、それでも人間が生きていくのに不可欠のものとして世界は存在する。世界は、かならずしも人間によって生きられるとはかぎらない。むしろ、人間にとって疎遠で、離れたもの、不気味なもの、冷ややかなものとして存在する。こう考える私の立場を、従来の立場とは違うものとして、まずは明らかにしておこう。

多木浩二（一九二八―二〇一一年）は、現象学的な空間論をベースにしつつ、記号論・象徴論との接点で、都市論や住宅論、建築論を展開した（多木の現象学的な建築論については、拙稿（篠原 二〇一七）を参照されたい）。人間の生存の条件を世界においてつくりだされるものと考えた点では、私と関心を同じくしていたと考えることもできるだろう。その代表が、一九八四年の著書『生きられた家』である。そこで多木は、人間が住みつく時空としての家を「生きられる家」と捉えた。「人間によって生きられる家は、生を刻み込むことによって辛うじて死の噴出を抑えている。家は湧きたつような生命をもつと同時に腐敗し、温かいと同時に悪臭を放つものである」（多木 二〇〇〇、一九三頁）。多木は「生きられた家」から「物理的な空間よりも根源的なものとしての「生きられた空間」」をとりだす。彼のいう「生きられた空間」とは、人間によって生きられることで人間の経験が刻み込まれ、不思議な鼓動を失うことなく存続していく空間を意味している。人間の生および経験と相関することで生きられたものになり、それに固有の生命を得ることになるが、時間の経過とともに老朽化し腐敗していく。ゆえに、家はメンテナンスを必要とする人工物である。

　多木の議論は、物理的空間とは異なる、人間化された空間が存在することを指摘し、その空間を、家という具体物との関連で、建築と哲学の交わるところで論じたかぎりで画期的だった。だが、多木は、家は崩壊するものであるということ、崩壊とともに人間化された時空間を離れ、事物へと崩落し、非情の世界の拡がりにおいて散乱していくことについては考えていない。[1]

　人間以後の世界、人間不在の世界。それは、人間がその存在のためにつくりだす組織体としての家や都市の存在の条件だが、人間的尺度を離れたところにあるものとして、人間化された時空の秩序と相関することのないものとして存在している。「自然と違った時間と空間の網目で、人間は自分自身とその文化を組織化してきたのである」と多木はいい、それを人間の自己実現、主体化の条件として捉える（同書、一九六頁）。これに対して、本書で私が考えたいのは、人間世界は、人間が自分と文化を組織化するのにもちいる時空の網目から離れたところにあるものとしての広大な世界の一部分として存在しているということであり、さらに、人間は人間世界とこの広大な世界の二つにおいて同時に生きているということである。多木のいう「生きられた空間」をとりまきつつ、それを成り立たせることもあれば崩壊させることもあるものとしての広大な世界をどう考えるのか、この世界との接点で生きてしまっている人間をどう考えるのか、ここでありうる生のかたちとはいかなるものなのか。

人新世における居住可能性問題

世界は、人間もまた住みつくところではあるが、人間から離れた、他なるもの、外的なものとして存在している。人間的尺度を離れたところにあるものとして存在している。

世界の他性、奇妙さは、身の回りのこととして経験される日常的な人間世界に埋没しているかぎり、気づかれることがない。地震や津波や巨大台風といった人間的尺度を超えた事態に飲み込まれ、人間として生きるのが危うくなるとき、私たちは、自分たちの日常意識と相関する身の回りとしての人間世界が、人間的尺度を超えた巨大さのなかの一部分でしかないことに気づかされる。ディペッシュ・チャクラバルティ（一九四八年生）も述べているように、人間の時間感覚を超えた地球史的プロセスのことを考えないかぎり、人間が現在直面している状況を深く理解することはできない（Chakrabarty 2018a, p. 6）。それは、一万二〇〇〇年続いた「完新世」が「人新世」に移り変わるという、かつてない人類史的変化を意味している。

だが、人間世界の基本構造は、人間を超えた時空間に対して沈黙をきめこんでいる。人間的尺度を離れたものとしての地球的世界に侵入され、人間世界が瓦礫と化しても、瓦礫は撤去され、その痕跡も消され、何ごともなかったかのようにして人間世界が再構築されてしまう。人間世界の基礎にある思想的設定が変わらないからだ。

問われているのは、次のことである——人間的尺度を外れたところに広がる世界のさなかで、その一部として、私たちもまた生きる場を構築することは、はたして可能なのか。可能だとしたら、その基本構造は、いかなる価値観を土台とするのか。瓦礫化ないしは物質化と隣り合わせの状況を生きるようになった私たちの存在の条件を、人間的尺度を外れたところで理解することは、どうしたら可能になるのか。

人新世における人間の条件を哲学的な問題として考えていくとき、決定的だったのが、チャクラバルティの論文「歴史の気候」(二〇〇九年)だった。ポストコロニアル研究を、歴史学と思想史の観点を連関させることで展開し、人文学に対して独自の貢献をおこなってきたチャクラバルティは、自然科学で提起される気候変動や人新世の問題を引き受け、これを人間存在の根幹にかかわる世界像の更新を促す事態として受けとめて、「歴史の気候」を発表した。この論文が提起するのは、人間がそのうちに生きている世界の時空にかかわる設定であり、その問い直しである。すなわち、一方で、エコロジカルな危機は、人類そのものが今後も生存しうるのかどうかにかかわる不安を生じさせている。未来には、人間は存在しないかもしれない(「私たちは、未来を描き出すためにも、私たち自身を「私たちが不在の」未来に入れ込む必要がある」(Chakrabarty 2009, pp. 197-198))。かくして、過去から現在へ、そして未来へとつづく時間的持続の感覚が薄れて、決定的な終わりをめぐる不安な気分が高まっていく。さらに、他方では、完新世の終わりは、地質学的時間のなかで人間もまた生きていることへの自覚を促すことになる。人間的尺度を離れたところに存在する時空間（深層的時空間）にとりまかれ支えられているところとして、自分たちの生きているところを理解することが課題になる、ということである。[2]

二〇一八年の「人新世の時間」で、チャクラバルティは、人間を尺度にして定められている時空の枠を徹底的に外れたところに存在すると考えられる非人間的な時空のなかにあるものとして、人間存在の条件を考え直すことを提唱している。問われるのは「何が惑星を居住可能なところにするのか」という問題である。「惑星を、ただ人間生活だけでなく、多様な生命一般にとって住みつくことの可能なものにするのは何か」（Chakrabarty 2018a, p. 24）。チャクラバルティによると、この問題は地球システム科学を発端としている。

> そこで地球は単一のシステムとして把握され、生命圏は、そのなかの活動的かつ重要な構成部分として把握される。さらに、そこで人間活動は、地球にグローバルな規模で影響を及ぼすことができるほどにまで広範で深いものとして把握される。そして、人間は今や地球システムを変え、人間が立脚しているプロセスと構成要素——生物的なものも非生物的なものも含めた——そのものを脅かしていく。（Chakrabarty 2018b, p. 264）

地震や火山爆発、台風にさらされるとき、人は、人間生活がいとも容易に崩壊しうることに気づく。だが、この脆さ、壊れやすさが起きているそこのところを考えるのは、なかなか難しい。チャクラバルティが述べているように、地球システム科学で見出されている単一のシステムとしての地球を、モートンが提唱する「ハイパーオブジェクト」として考えることもできる。あるいは、チャクラバルティが紹介している国際関係論の研究者の見解で言われるように、「新しい惑星的なリアル」として考えることもできるかもしれない。それは「人間のような地球に住む生命体からは遠のいていて、接近することができない」(ibid., p. 265)。

クライブ・ハミルトン(一九五三年生)の著書などで論じられているように、人新世は、地質学や層位学、地球システム科学といった自然科学の研究テーマで、これを人文社会科学の問題にするためには、とりあえず科学の論文をある程度読み、そのうえで人文社会科学の問題として再構成していくことが求められるはずである(Hamilton 2017)。その観点からいうと、人間が地質学的存在になって地球のあり方を変えた時代をなんと呼ぶかをめぐる議論(「資本新世」か、「クトゥルフ新世」か)や、この状況をもたらした要因を探し求めて糾弾するといった議論(マルクス主義的なエコソーシャリズム)は、表面的な言語的遊戯以外の何ものでもない。重要なのは、人間的尺度を超えた存在としての地球的事物の世界に人間もまたとりまかれているだけでなく、それに侵食され、圧倒されてしまう状況を生きていることをどう考えるのか、この状況を思考するための理論的枠組みをどうやって再構成するのかを問うことである。

場所と地下世界

私たち人間は、自分たちから遠のいていて接近できないものとしての世界、暗がりの深層性を潜在させた世界に生きている。この現実をどう考えたらいいのか。そのためにはまず、人間生活の支えとしての世界の変化を、現実に起きていること、現実に経験されていることとして受けとめていくことが求められる。たとえ非現実的だと感じられても、それを本当のこととして、自分の生存条件を根底から揺さぶる事態として、まずは考えようとすることが求められる。

世界を経験し、感じることは、真空で起こるのではない。何らかのところにおいて、何らかの場所において、私たちは経験し、感じている。そのかぎりでは、非情な世界の異物性を受けとめることも、何らかのところ、何らかの場所にかかわることとして、具体的に起こる。経験の条件としての場所への問いは、依然として、私たちの課題である。

「経験」と「場所」は、二〇世紀前半に活躍した西田幾多郎（一八七〇―一九四五年）の哲学における二つの主要概念である。一九一一年に『善の研究』を刊行したあと、京都に拠点を定めた西田は、「場所」、「歴史的実在」、「世界」といった概念をめぐって考察を深め、それは死の直前に書かれた論文「場所的論理と宗教的世界観」（一九四五年）に結実する。彼もまた、歴史的実在としての世界が主観的自我を離れて客観的に存在する、と考えていた。[3] その点で、本書の議論の先駆の一つといえるだろう。だから、まずは西田の議論を検討しておこう。

アンドリュー・フィーンバーグ（一九四三年生）の論文「経験と文化――西田の「物自体」への道行き」によると、西田のいう「経験」は、明治維新の後に移入された実証主義とはまったく異なる。

「経験」と「場所」は、定量的な実証データで世界が把握されてしまうことに対抗して、現実に生きていることの具体性の根拠を自らの心身が実際に感じ経験しているところに求めていこうとするなかで、その拠り所になりうる概念として創造された。西田のいう「経験」は、西洋近代にもとづく自然科学的思考とそれにもとづく科学技術の導入にともなって高まっていく精神的不安や進歩への疑惑、近代以前に保たれていた世界の空虚化といった事態において自らの生の現実性の支えになりうるものを見出すための起点であり、土台である。西田の理解では、経験は抽象的な空虚において生じない。経験は、何らかの場所において生じ、現実のものとなる。しかも、経験は単数ではなく複数である。フィーンバーグは述べる。

西田は、場所を、行為する諸々の主体の矛盾的（そして事実上の対立における）自己同一として解釈した。行為が、主体の潜在性としてただ抽象的に考えられるのではなく、歴史において主体性が構築されていくことの場として考えられるのであってみれば、（西田哲学における）この変化は当然のものである。この場における作用と反作用よりもっと根本的なのは、行為する諸々の主体がその存在感を獲得することになる「場所」としての場そのものである。(Feenberg 1999, p. 37)

西田の思考において、場所は、人間の行為が起こるところであるだけでなく、人間が経験をつうじて自らの主体性を確立し成長させていくところでもある。人間は、場所において存在することで、現実世界の確かさを感じ、本当に生きているという実感を得ることができるようになる。さらに、場所において主体は単数ではない。諸々の主体が一なるものへと統合されず、対立をも含めた矛盾的状況のなかに放り込まれていくことを許容するところとして、つまりは無数の行為主体へと開かれたところとして、場所は存在し、行為が確かなものとして、意味あるもの、生きているものになることを可能にする。

ところで、西田の哲学の背景には、西洋諸国の発展の原動力となった自然科学と科学技術に圧倒されてしまうことへの危機感のようなものがあった。それゆえ、近代への批判は、日本国家の独自性の主張と結びつくことになりかねない。西田のいう「場所」は、西洋近代に対抗可能なだけでなく、西洋近代を乗り越えるための原理とみなされるようになった。そうなると、場所においては、主体の存在を支える確かさが重要であることになる。そして、この場所においては、主体もまた、確かなもの、確固たる自覚とともに生きることのできるものとして考えられるようになる。場所を、主体の確かさの支えと捉えるだけなら、そこもまた確固として定まったものと考えられることになるだろう。確たる状態をかき乱す他なるものの入り込む余地が消され、同一性の論理が優勢になり、確定されてしまう。

だが、他方で西田は、場所を「無」として、何もないところとしても考えていた。無としての場所は、そのものとしては実質のない、何もないところである。そのかぎりでは、場所は実質に満たされることのない、つまりは定まることのないものである。本当は、西田において場所は、日本国家の独自性のような実質によっても満たされえないものとして考えられていたのかもしれない。

フレッド・モーテン（一九六二年生）は、場所にかんする西田の思考で不徹底だったところを、アフリカン・アメリカンとしての生活経験から思考し、展開を試みている。一九六二年にラスヴェガスの黒人コミュニティで生まれたモーテンは、アミリ・バラカについての著作（Moten 2003）でデビューし、アート批評家や詩人としても知られている。現在ニューヨーク大学教授だが、二〇一七年から一八年にかけて三冊の単著を刊行した。その一冊である『普遍的機械』（二〇一八年）は、エマニュエル・レヴィナスとハンナ・アーレントとフランツ・ファノンをめぐる哲学的な考察で、しかも「人間の世界と事物の世界の差異を明確にすること」を課題としており、そのかぎりでは、じつは本書と関心を同じくしている（Wallace 2018）。

モーテンは、『普遍的機械』で、西田のいう無としての場所を「場所のない場所」と読み替えていく。モーテンによると、西田は場所を「意識的に活動的な自己と世界の矛盾的自己同一の形式」として考えているのだが、モーテンは「矛盾的」という表現に着目し、場所を破綻の可能性を含みこむ全体として捉えていく。すなわち、それは「絶対性ないしは絶対的な無が、それと関係する他なるものとのかかわりにおいて構造化される全体」であり、他なるものとのかかわりゆえに、定まらず、破綻しうるところとしての全体である（Moten 2018, pp. 206-207）。

西田哲学の専門的な読解としてみると、モーテンの読みには無理があると考える人もいるだろう。だが、重要なのは、モーテンが自分の哲学を試みるなかで西田と出会い、矛盾的なものとしての「場所」という概念に魅了されたことであり、そこで自分の思考との対決を試みたことのほうだと私は考える。

モーテンは、現代の哲学における難題の一つが「地球的な事物の軽視と拒否」だと考えている。すなわち、彼の考えでは、「事物の（外部）世界に放浪的に退隠すること（withdrawal）へのためらい」が哲学的思考の自由を阻んでいる。

モーテンのいう「事物の世界」とは、人間的な秩序の世界が成立したあと、そこからはみ出し放擲されてきたものたちの集う世界であり、だから彼が「地球」というときには、無垢な自然の世界ではなく、人間的秩序の構築のあとその崩壊とともに侵入してくる地球的現実を意味していると考えたほうがいいだろう。

モーテンは、哲学的思考にかかわる重要な問題がここに出現している、という。それは「人間（の世界）と事物（の世界）の差異を際立たせ、はっきりさせること」(ibid., p. 13) である。差異を際立たせるとは、まず、人間的な世界を、事物の世界とは違うものとして、事物の世界から区別されるところに成り立つものとして考えることを意味している。だが、モーテンのいう人間的世界と事物の世界の境界は、完全に定まっているわけではない。彼のいう「事物」は、人間の世界から放擲された事物である。そのかぎりでは、じつは人間的世界に属していた。これが人間的世界を囲う境界の外へと追いやられた。ということはつまり、モーテンのいう「事物の世界」とは、すでにある人間的秩序、つまりは自然世界から切り離されたところにおいて安定的に成り立つ人間的秩序からはみ出し、それを超え出たところに形成されていく非人間的世界を意味することになるだろう。

モーテンは、現象学の概念である「生活世界」を次のように定義しなおす。まず「そこは直接的に与えられるもののゾーンで、そこで事物が、意味において、意味に対して現れる。諸々の主体と経験のための共通の土台（common ground）、つまりは経験の地平である」。生活世界は、事物が意味あるものとして現れるところであり、それを諸々の主体が意味あるものとして経験し、その経験をシェアすることを可能にする条件としての世界である。

とはいえ、この世は生活世界だけでできているのではない。現れの空間としての生活世界から放擲され、そこに現れることのできないものが多数存在している。それゆえ、モーテンは「事物の地下世界（underworld）」に言及する。地下世界は「生活世界の内側とその外縁に隠されている。放擲のゾーンであり、地勢的不毛のゾーンである。政治的なものとして明るみに出されることは永遠になく、哲学的思考が及ぶこともない、非歴史性のゾーンである。発展に導く形式は、徹底的に欠落している。事物は、地下世界に住みついているが、他方では生活世界において、あからさまに、露骨に現れる。ただし、生活世界の外縁にあるものとして、その核心にあるものとして、その空間的時間的な定位力として現れる」（ibid., p. 12）。

ここで言われているのは、まず、生活世界と地下世界は区別されている、ということである。そのあいだには境界があり、隔てがある。生活世界に現れる事物があり、そこで人が生活し、会話し、共通の経験をしているのかもしれないが、それでも、生活世界を囲い込む境界を外れた暗がりには、地下世界が存在し、そこに住みつく事物があり、人もまた存在する。

そして、地下世界は、放擲された事物と人の集う世界だが、それはただ生活世界から隔てられているだけではない。地下世界は、生活世界から排除され、ないことにされている。政治的な争点とされることもなく、哲学的な考察が向けられることもなく、発展することもなく、ただ放擲され、何も起こらないところとみなされている。地下世界では、生活世界としてのかたち、つまりは人間の生存を可能にする条件としてのかたちが崩れ、再カオス化が進行する。

ところが、モーテンが述べていることをよく読むと、地下世界を不毛の世界として把握するのはあくまでも生活世界の内側からの決めつけであって、現実の地下世界は、生活世界において隠蔽されつつも、実際のところ、そこへと放擲されたものたちは生活世界に現れている。生活世界の内部から放擲され、その境界のあちら側に追いやられたとしても、事物はそのものとしては消滅せず、人間世界から離れたところにあるものとして、ハイパーオブジェクトとして、散乱しつつ存在する。

事物は、生活世界の外縁において裸形で現れるが、この事物の存在を感じるとき、人は地下世界に特有の没世界性と非歴史性を経験し、共通の社会性が欠落している状態を経験することになるだろう。

これは本当に起きているんだ

哲学者のデボラ・ダノウスキーと人類学者のエドゥアルド・ヴィヴェイロス・デ・カストロ（一九五一年生）の共著『世界の終わり』は、二〇一四年にポルトガル語で刊行され、二〇一七年には英語で刊行された。それは、現在の地球温暖化、海面上昇、干魃、森林伐採、山火事をはじめとするエコロジカルな危機についての著書である。哲学と人類学の知見を基礎にしているが、メイヤスーの『有限性の後で』で示された「人間不在の世界」についての考察を、エコロジカルな危機において起こりつつある世界崩壊の根幹を問うためのものとして読解し、ラース・フォン・トリアー（一九五六年生）の映画作品『メランコリア』（二〇一一年）（地球と人類の消滅を主題とする）やアラン・ワイズマン（一九四七年生）のノンフィクション『人類が消えた世界』（二〇〇七年）と連関させつつ、私たちが経験しているはずの世界崩壊の現実を直観的に理解しようと試みている点で、斬新な本である。

彼らの考えでは、「世界の終わり」は人新世である。人間活動が地球のあり方を変え、人間の活動力の総体が地球の諸力に匹敵するようになった時代としての「人新世」が提唱されて、すでに二〇年が経とうとしているが、これに関してダノウスキーとヴィヴェイロス・デ・カストロは次のようにいう。人新世は「私たちとともに始まったが、私たちのいないところで終わるだろう」（Danowski and Viveiros De Castro 2017, p. 5）。たしかに、人類が地球の諸力に匹敵するほどの力をもち、地球に影響を与え、地球に痕跡を刻みつけていく状況が終わるとしたら、そこから人類がいなくなるよりほかにない。

私はこの著書に魅了された。それはおそらく、彼らの著作に漂う（ただよ）雰囲気のせいでもある。重要なのは、その第二章「その時が、ついにやってくる」で、イギリスのロックバンドであるレディオヘッドの曲「Idioteque」（二〇〇〇年）で繰り返される歌詞「俺たちはデマを言ってるんじゃない。これは本当に起きているんだ」が、エピグラフとして引用されていることである。

ブログ記事「深読み、Radiohead 通信」によると、この曲は「自分たちを決定的に損なう何かに対する恐怖」を歌っている（https://inadeepsleep.com/entry/2018/11/20/002224）。たしかに、歌詞を読むと、核戦争への恐怖や温暖化など、人間生活の来たるべき破綻に対する警告の歌だと解釈できる。ダノウスキーとヴィヴェイロス・デ・カストロの『世界の終わり』の主題と関連させるなら、人間世界の終わり、破局の進展状況を必死に歌うものとも解釈できる。恐怖をこの曲に感じることも可能だが、曲に漂う不穏さには、すでに終わりを受け入れてしまったがゆえの静謐と狂気を感じることもできる。世の表面では、すべてが許され、人は普通に、適当に、ときに不真面目に生きることができている。だが、ヴォーカルのトム・ヨーク（一九六八年生）による「氷河期がきている」という言葉の連呼は、表層で保たれている平穏のイメージはただの虚偽で、本当は破局がすでに進展していて、人間世界の終焉が予兆としてあるのだ、ということを突きつける——「これは本当に起きているんだ」。

産業革命以後、人間の生産活動は化石燃料の活用を基礎として展開してきたが、排出された二酸化炭素は地球温暖化を引き起こし、北極の氷を氷解させ、海面上昇をもたらし、洪水を発生させ、さらに干魃や山火事を発生させている。温暖化は海水の温度を変え、台風の巨大化をもたらす。これをダノウスキーたちはエコロジカルな危機と捉える。この危機は、たんなる自然の危機を意味するわけではない。自然の危機と考えるかぎり、人は依然として、人間中心主義的な立場にとらわれている。自然は確かに人間によって変えられたが、現在、従来と違うものになった自然は、人間生活の基本を揺さぶり壊す、巨大な猛威の存在になった。ゆえに、エコロジカルな危機は、人間生活の条件の実存的危機であり、崩壊である。それが、彼らのいう「世界の終わり」である。そのかぎりでは、世界の終わりはすでに始まっているともいえるが、この現実を否定せずに直視せよ、というのが彼らの主張の一つである。

厳密にいうと、世界の終わりは、近代的な世界像の終わりを意味している。人間が世界の中心にいて、自分たちの生活条件を完全にコントロールできている、という考えを支える世界像の終焉である。人間を中心とする世界が終わるということは、人間を中心としない世界、人間的尺度を外れた世界が始まることだと考えられるのではないか。それは、人間世界を、人間を超えた拡がりのなかにあるものとして、小さな一部として考えることを意味している。

世界の他性と脆さ

二〇一九年五月のインタヴューのなかでエリザベス・グロス（一九五二年生）が示唆しているように、世界を「外的なもの」として考えることもできる（Grosz 2019）。人間の理解とコントロール、表象能力の限界を超えたものとしての外部である。ただし、グロスの考えでは、外部としての世界は、たんに人間の思考の限界を超え、人間から離れているだけのものではない。そこは、実際に人間もまた住みつくところである。それゆえ「この外部は、生が直面することになる包括的な問題を生じさせる。それはつまり、一定の資源をそなえた特定の環境で、いかにして生活し、生存していくか、という問題である」。人間中心の世界像のもとでは、世界の外部性または他性が無視されてしまうが、地質的・気候的なものの影響下で生活条件が不安定化していく現在、世界にかかわるイメージの設定、つまりは現実設定の変更が求められている、ということだ。

グロスは、『外部からの建築』（二〇〇一年）や『カオス、テリトリー、アート』（二〇〇八年）をはじめ、ジル・ドゥルーズ（一九二五―九五年）を中心とする哲学研究の立場から、建築について考える著書を刊行してきたことで知られている。彼女の理解では、ドゥルーズは建築を、人間が住みつくところとしてのテリトリー形成にかかわる重要なアートと考えている。一方で、それは地球的なものの改変である。ただし、他方では、リズムやトーン、色合い、重さ、テクスチャーといった感覚的質を発生させていくことでもある。グロスは述べる。「ドゥルーズの考えによると、アートは、地球という空間を組織化するという、建築的な重要課題の延長線上にある」(Grosz 2008, p. 10)。世界の構築にかかわるものであるかぎり、建築は、自然なカオス状態を枠付け、組織化し、一定の形に定めることを責務とする。だが、色合いや手触り、音響的な静謐といった質感は、人間の意識や思考と相関するものとはいえず、むしろ、人間世界を超えた、地球的・自然的なものの領域にかかわる。

グロスは、インタヴューのなかでも「建築を可能にするもの」としての自然や動物、物質にある、外部的なものの意義を論じている。彼女の理解では、これらは建築を可能にするものであるにもかかわらずその成立において排除されてしまうものだが、この考えは最初の著書から一貫している。つまり、建築は人間生活の条件を一定の形へと定めるものだが、他方では、それは人間世界を超えた外部的なものの排除をともなう。つまり、建築においては、形の形成と外的なものの排除という矛盾した営みが同時に起こる。これがグロスの建築論の要諦といえるが、この立場から彼女は人間の条件としての地球的なものにまで、自らの思考と感覚を向けようとしている。[4] 彼女の考えでは、地球的なものは、人間をも含めた生の出現に先立つところに存在している。それは事物的であるだけでなく、非実体的で潜勢的なものをも含むものとして存在する。そして、グロスは、人間を、地球的なものに関与しつつ自らの存在条件を形成し生成発展していくものと考える。つまり、人間は地球的なものにある地質的力と連関することで、自らの力を高め進化していく、というわけだ。

だが、グロスの議論では、地球的なものとのかかわりにおいて人間の存在条件が脆くなるとまでは考えられていない。人間存在の外部、つまりは他なるものとして地質的力を考えようとするかぎりにおいて、グロスの議論は重要である。そして、他なるものとしての地質的力との相互的浸透において人間世界が定まらぬものとして存在するようになっていることを捉えている点でも、彼女の議論は重要である。地質的力へと開かれていくことで、人間は、人間と人間ならざるもののあいだ、さらに性別や人種のあいだに設定された区分を超えた新しい存在に進化するという見通しが、グロスの議論を支えている（Roffe and Stark 2015）。だが、地球的なものに支えられている人間存在は、エコロジカルな危機において脆さをも抱え込まされ、脆さとともに生きざるを得なくなりつつあるとまでは、グロスは考えていない。人間的尺度を超えた世界そのものの非人間性への洞察が徹底されていない。

定まらなさのなかで生きる

自然科学の論文で論じられている現在のエコロジカルな危機（人新世、温暖化、海面上昇、異常気象、パンデミックなど）は、私たちの生存の支えそのものにかかわる事態だといえるだろう。これは、自然環境の危機だけを意味するのではなく、人間生活の実存的危機をも意味している。これにかんして、モートンは、哲学的な観点からの考察を試み、確定的な背景または場所としての世界の終わりを意味するものと考えていく。彼自身述べているように、これは世界そのものが存在するのをやめ、消えてしまうことを意味しない。むしろ、安定的なものとして保持されていた人間世界の確定状態そのものが揺らぎ、地球的事物の世界との境界が曖昧になって、定まらなさ、脆さが前景化していくことを意味している（Morton 2013b, p. 100）。世界の脆さを意識せざるを得なくなるとき、安住し、安楽に居直ることのできていた確定的な世界から、私たちは追いやられていくことになるだろう。だが、じつは世界は、本当はずっと不確定で脆かったのかもしれない。この現実を、まずは認め、受け入れていくことが求められている。

そのことで、何が見えてくるだろうか。一つには、世界は感覚的なものの領域である、ということだ。そこは人間が概念的に把握するのに先立つところで生じ漂う感覚的なものの領域であり、人間をとりまくものでありながら、事物としての実質はなく、かたちなきかたちとして存在している。

そして、人は感覚的なものの領域としての世界において、他なるものと相互連関していく。相互連関の領域は、自己完結的な閉域ではない。そこは場所である。モートンが示唆するように、私たちは場所で生きている。「ここ」に存在している。「ここ」としての場所は、ただローカルな場所として、閉域として存在するのではない。場所は、開かれたものとして存在する。「ここ」そのものが頑（かたく）なものとして定まりえず、開かれうる。開かれた場所において、人は自分ならざる存在と出会い、相互的に連関していくが、共存は、まさにこの場所で、場所の開放性において、生じることになるだろう（Morton 2007, pp. 170, 174／三二七、三三六頁）。

さらに、場所の開放性は、人間の概念的な把握を超えていく。開かれた場所は、人間としての私によって直接生きられ経験される時空間を超えたところで広がっていく。開かれた場所と生きられる場所のあいだには溝がある。開かれた場所において、私は、私ではないもの、さらには人間ならざるものにとりまかれ、それらとの相互連関の網の目のなかに誘い出されて連なっていく。

人間が住みつく感覚的な領域としての世界は、表象の言葉とイメージの表層的な世界と異なっている。私がしていること、感じていること、考えていることを、確かなこととして、現実に起きていることとして受けとめることができるには、身体は私をとりまく世界へと開かれていなくてはならない。ところが、私をとりまく世界は、日常的な生活領域に埋没している身体には感覚されないし、思考されることもなく、日常生活をわずかに外れた隙間的領域で微かに感じとられる。

生き、そして経験する人間としての私を超えたところにある世界の現実性を、どのようなものとして考えたらいいのか。そこは、人間が生きているかどうかとはかかわりなく、存在している。人間の生に先行しているし、人間の消滅後にも存在するかもしれないが、それでも、今はまだ人間はそこにおいて現実に生きている。普段は意識化されないが、現実に人の生活を支えているし、生きていることの現実感を確かなものにしてくれる。

そこは確定的ではないし、調和的でもない。エコロジカルな危機の時代において、私たちは、生の領域としての世界そのものが不確定で、脆弱であるということについて、あらためて思いを巡らすようになる。もしかしたら、世界はすでに壊れてしまっているのかもしれない。

問われているのは、次の点である――生の領域としての世界とはいかなるものか、エコロジカルな危機の状況のもとで、これが不確定になり脆弱になるとはどのようなことか、そこで共存し、一緒に生きていくことは、いかにして可能になるのか。

未来の廃墟

『自然なきエコロジー』の基本には、コロラドの巨大ショッピングモールが擁する駐車場の巨大な空虚があると、モートンはブログで述べている（Morton 2011）。それをモートンは「非 - 場（non-place）」と呼ぶ。

都市郊外のショッピングモールは空虚だ。この感覚は、第二次世界大戦後の復興の頂点の一つとみなされ未来都市の象徴として語られてきた一九七〇年の大阪万博の会場を廃墟そのものと捉えた磯崎新（一九三一年生）の感覚と共振しうると私は考える。

> ヴァーチャルな映像はレトリックによって支えられている。いっぽう瓦礫は物質そのもの、建築物や都市的構築物として、さらにはその表相の装飾として意味づけられていた存在の様式が、一挙に破産する。そして露呈されたのが内側に隠されていた物質そのものだった。廃棄される寸前の最終形態である。（磯崎 二〇〇三、一〇四頁）

瓦礫には、レトリカルな言語的戯れを拒絶する、トラウマ的な情動の物質性がある。

エリック・カズデン（一九六六年生）は、「啓蒙・革命・治癒」という論考で、「磯崎には崩壊と廃墟への研ぎ澄まされた感覚があった」（Cazdyn 2015, p. 167）と述べている。崩壊は、一九四五年に起きただけでなく、未来にも起こりうるものとして、潜在的なものとして存在する。そして、カズデンが述べているように、磯崎において廃墟としての未来は「私たちの現在の諸可能性を超えた何ものかとして、表象されることなどありえず、むしろつねに抑圧されねばならない何ものかとして、つねに到来する」（ibid., p. 168）。実際、磯崎は次のように述べている。

そこでは「構築」されていくはずの都市が「崩壊」していた。都市は再建され、未来の理想像が描かれねばならぬという大義が、大東亜共栄圏の建設という大義に替わってまかり通る事態を、そのまま受容するには、都市の崩壊という傷跡はあまりに強烈だった。この傷跡をこそ描くべきではないか。構築されるべき都市を非構築の側へ引きもどす。それは生成と消滅という循環過程に焦点をしぼることである。「都市はプロセスであり、それ以上に確実な概念は存在しない」(「孵化過程」)。過程すなわち「流れ」に焦点をしぼり込むことは古代末の社会的解体期に特徴的な視点ではなかったか。『平家物語』の盛者必衰、『方丈記』の行く川の流れ、いずれも冒頭に置かれたライトモチーフである。『奥の細道』でさえ流浪への願望においてそれを継承している。「枯れかじけた」(宗祇)〝さび〟は凍りついた死滅の風景である。(磯崎 二〇〇三、九一―九二頁)

磯崎のいう「プロセス」は、進歩とは異なっている。経済成長に促されていく変化と適応の過程とは異なっている。逆に、それは崩壊と消滅の過程であり、流体的で定まらぬ漂泊の過程だが、まさにここにおいて、人間世界ははかなくも定まるものとして構築されていくことになる。磯崎の経験では、廃墟は否定的なものとしての根拠であり、そこにおいて、固定化されることのない都市空間が現れることになる。壊滅と廃墟の過程は、未来にかかわる進歩的なテクノ・ユートピアの表象の下層でうごめいている。それは不可視にして不可知であり、潜在的な状態にある。

磯崎の考えでは、廃墟にはなにか未来的で非人間的なものがある。それが現在の都市空間にとりついてやまない。それは「「枯れかじけた」風景」、「凍りついた死滅の風景」である。もし磯崎がこの風景を現在において現実に構築された都市形式の根本にあるものとして捉えているのだとしたら、彼は都市の廃墟化を未来的な過程として考えているはずである。未来都市は、計画によって定められた目標に向かう何ものかとしては存在しない。未来都市は、現在の都市構造に潜在し、未来に起こりうる廃墟的なものである。[5]

グロスの空間論では、人間世界の空間的な形成は、あくまでも人間世界外的な拡がりのカオスの只中における一時的な秩序であり、コスモスであると考えられている。そこでカオス的な自然の原初的威力から切り離された一時的安定の領域が、人間の住処（すみか）として形成される。だが、人間世界として囲われた一時的安定の空間は、自然から完全に切断された抽象的空間とは異なっている。空間秩序の安定性は一時的で、それゆえ実際のところは脆弱であり、何らかの突発的な出来事が起こりうる状況として存在している。人間世界の空間秩序には、自らの破綻の可能性が潜在している。グロスの考えでは、ここに鋭敏に反応するのがアーティストであり、アート作品である。

その原初的衝動が自然および人間世界の両方におけるテリトリーの創造をもたらすものであるかぎり、アートにはテリトリーを壊す破壊と変形もまた可能である。アートは、ただ一時的にテリトリーが成り立つことの元にあるカオスへとテリトリーを復帰せしめる。アートは、枠付けと枠の解体は、アートにある、感覚をつうじたテリトリー化と脱テリトリー化の様式である。枠付けは構成

の平面が構成していく方法になり、枠の解体は変動と変容の様式になる。(Grosz 2008, pp. 12-13)

破壊と解体は、人間の意識的行為ではない。テリトリーの破壊は、人間的尺度を離れたカオス的な力の噴出によって起こるのであり、この力にさらされることで、人間世界の安定性が崩壊する。そのかぎりにおいて、安定的なテリトリーを外のカオスから切り離す枠は、カオス的な力の噴出に対して無力である。枠付けられた人間の住処は、テリトリーの安定化に先立って存在する原初的威力の突発的な噴出の脅威につねにさらされている。グロスによると、ドゥルーズの理論では「あらゆる生命を貫いている、非人間的な、「生を超えた力」があり、これが様々な形態における生を、物質そのものにある非有機的な諸力と質に結びつけていく」(ibid., p. 19)。非人間的な、生を超えた力は、人間世界に先立ち、それを超えていく何ものかのことである。それは感覚可能で現実的な、物質にある非有機的な力のことである。

グロスと磯崎のいずれにおいても、人間世界に包含されることのない、何か人間ならざるものが存在すると考えられている。だが、人間ならざるものへの感覚は、二人において異なっている。グロスは、人間世界を超えたものを、人間的生を離れたものでありながら私たちの生を貫き活気づかせる力として考えている。それに対して、磯崎の考えでは、私たちは人間的尺度に収まらないものを、現存の空間構造を「凍りついた死滅の風景」へと崩壊させていくものとして経験する。人間世界を超えた何ものかの噴出において顕（あらわ）になるのは、「物質そのもの」としての瓦礫である。

磯崎の未来の廃墟の感覚を支えているのは、人間世界がそのなかで一時成り立つところとしての広大な世界は、物質の非有機的な力のような実質のある実体で満たされることはなく、ただ荒んでいて、壊れて破損した事物の「枯れかじけた」集積として存在する、という直観である。

第2章

世界形成の原理

ガブリエルとメイヤスー

二〇一八年一二月三一日の夜、私は一人でロンドン南部の雑踏のなかを歩いていた。私の目の前で、老年の黒人男性が倒れた。周りの人々は笑い、スマートフォンで撮影している。ＳＮＳに投稿するのだろうか。

マクドナルドの前に設置されたベンチに座ってぼんやりしていた男が突然倒れた。動かない。死んだかもしれない。私はたしかにそれを見た。救急車が来て、パトカーも来て、周囲は騒然としはじめた。その感触も、よく覚えている。にもかかわらず、私には、男が倒れたという出来事が、確かな現実として本当のこととして起きたとは確信できない。自動車の騒音、バスの往来、ヘッドフォンで音楽を聴きながら歩く男女、ＴＶモニターで流されるＣＭなど……多くの刺激が感覚器官を襲い麻痺させていく環境では、男が倒れるという出来事を目の当たりにしたとき確かに生じたはずのショックが消され、普通のことにされていく。刺激に満たされた擬似的公共空間では、人間の疎外も、孤独も、そのことゆえの出来事の悲惨も消されてしまう。そこに身を浸す私の感覚も麻痺してしまう。現実と非現実の境目が曖昧な空間のなかに飲み込まれていく。

私は、男が本当に倒れていて、周囲に人が集まり、騒然としていたかどうかについて、確信を持てないでいる。もしかしたらＴＶモニターやiPhone上の出来事でしかないのかもしれない。現実感の根拠は身体の表面、つまりは感覚器官だとスーザン・バック＝モース（一九四二年生）はいう。つまり、「内的なものと外的なもののあいだの媒介的な表面」としての感覚器官が、世界と「前言語的なやり方で出会う」（Buck-Morss 1992, p. 6)。現代の過剰な刺激と情報に充満した公共空間は、まさにこの感覚器官を前言語的な水準で狂わせ麻痺させていく環境として構築されている。ゆえに、この空間において出来事の現実性を確かなものとして受けとめていくには、この内外の表面に生じた麻痺状態の解除が求められる。麻痺状態から逃れたところで感じ、考えていくこと――そのためにはどうしたらいいか。

バック＝モースによると、ヴァルター・ベンヤミン（一八九二―一九四〇年）はそこで気を散らすことを選んだ。気を散らす。それは注意力を散漫にしていくことだが、そのことで、感覚を麻痺させる擬似的公共空間に没入せずにいることができるようになる。自分をとりまく感覚麻痺の世界に統合されるのを逃れるには、その只中で気を散らし、自らの夢想の世界に入り込んでしまったほうがいい。建築とのかかわりを例にして、ベンヤミンはいう。「気の散った大衆の方は、芸術作品を自分たちのなかに沈潜させる」（ベンヤミン 一九九五、六二四頁）。芸術作品のなかに自分たちを沈潜させるのではない。逆である。周囲につくりだされた幻影世界に埋没せず、逆にこの幻影世界を自分たちの内側に取り込んで、麻痺ではなくて正気にさせる夢幻世界を自分たちでつくりだしていく。そうすることで感覚麻痺の世界から逃れ、正気になることができる。

モートンは、ベンヤミンの気散じについて次のように述べる。それは「「まさにここ」にあるものとして考えられている環境への、無感覚ではない没入の感覚である」（Morton 2007, p. 164／三一七頁）。気散じは、情報技術に媒介された世界が発する騒々しい刺激の襲撃をかわし、ファンタスマゴリーに満たされた世界の背後を「まさにここ」として感じ直し、ここに出て、降り立つことを可能にする姿勢を意味している。気散じは、外的刺激に気を取られ、思考停止になることを意味しない。逆である。刺激に没入するのではなく、それを自らの内に取り込み、音楽や映像作品にしていくことで現実知覚の解像度を高め、実際に起きているのが何であるかをしっかり感知し思考するための条件である。

気散じをつうじて没入していくところとしての環境とは、いかなるところなのか。私は都市空間での出来事を、幻影と現実の境目のようなところで起きたこととして経験したのかもしれない。そこは感覚疎外の麻痺空間と、その外側に広がる現実の境目だが、ではいったい、この境目、外縁部とは、いかなるところなのか。この外縁部で私は本当のところ何を目撃したのか。何と出会ったのか。

言語と世界

私たちが住みつくところとしての世界は、普通、何らかの形で構造化された秩序、つまりは分節された秩序として存在すると考えられている。井筒俊彦（一九一四―九三年）の「文化と言語アラヤ識」（一九八四年）によると、世界を意味のある現実として、分節された現実として秩序づけるのは、言語である。

〔…〕言語はコミュニケーションの重要な手段である。が、コミュニケーションの手段であることのほかに、あるいは、それ以前に、言語は、意味論的には、一つの「現実」分節のシステムである。生（なま）の存在カオスの上に投げ掛けられた言語記号の網状の枠組み。個別言語（ソシュールのいわゆるlangue）を構成する記号単位としての語の表わす意味の指示する範列（パラデイグマテイク）的な線に沿って、生の存在カオスが様々に分割、分節され、秩序づけられる。そこに文化が成立し、「世界」

が現出する。「世界」は、言語記号の介入によって、有意味的に構造化された「自然」の変様であり、有意味的に分節された事物・事象の全体である。〔…〕言語をもち、文化に生きる人間は、ほとんど運命的に、生の自然から疎外されている。存在世界を一つの「象徴の森」として経験する人間には、象徴の意味体系の彼方なるものにじかに触れるすべはないのだ。（井筒 二〇一九、六七―六八頁）

井筒の考えでは、人間には、言語的に秩序化された世界を離れたところにあるとされる生な自然に直接触れることはできない。人間は、言語的に分節されたところに成立している文化的・有意味的な世界に組み込まれ、そのなかで生きてしまっている。自然に与えられたままの事物・事象と思い込まれている客観的対象ですら、人間意識の意味生産的想像力の形象化でしかない。

だが、言語的に秩序化されたものとしての世界を離れたところで何かが起こりつつあるのだとしたら、どうだろうか。じつは現実世界は言語的秩序化とは無関係なものとして存在していて、しかもその言語的秩序化から離れたところで変容しつつあるのだとしたら、このことをどう考えたらいいのか。

井筒は「言語をもち、文化に生きる人間は、ほとんど運命的に、生の自然から疎外されている」と述べている。つまり、井筒の立場からすると、言語的に分節化されないかぎり世界は人間にとって存在しない、ということである。井筒の立場は、私たちは世界を私たちにとって存在するものとしてしか語ることができない、という立場の一つと考えることができるだろう。つまり、昨今の実在論で批判されている相関主義の一つである。相関主義では、世界は人間の意識や言語作用と相関することでのみ存在すると考えられているが[1]、相関主義に対する批判者の一人であるレヴィ・ブライアントは、相関主義的な思考においては「人間から離れたところにある世界はどのようになっているか、という問い」が完全に除去されている、と述べている（Bryant 2011, p. 39）。

だが、井筒の場合、言語以前の生な自然が完全に存在しないとまでは述べていない。井筒の思考では、それは人間によってじかに触れることのできないものとして存在すると考えられている。実際、井筒は、言語によって有意味的に分節され秩序づけられた現実としての世界があるといいながら、他方で、言語的に分節化された世界は表層的であって、その深層に未分節的なものがあることを認めている。ただし、井筒は、それを「見えないもの」、「触れることのできないもの」というように、否定的なかたちで言い表す。

> 我々は、決して、存在の本源的な無分節的連続性、無定形性、そのものを見てはいない。「世界」は、始めから、一定の形で分節された存在秩序として、我々の前に現われているのだ。（井筒 二〇一九、七五頁）

言語的に分節化された世界に慣れた私たちは、言語的分節化に先立つか、もしくは言語的分節化を離れたところに何かがあるとは考えない。それに対して、井筒は言語的分節化以前のもの、ないしはその外にあるものとしての無定形的流動体の存在を、私たちが「見てはいない」ものとしてほのめかす。土地の隆起が「山」と名づけられ、水の流れが「川」と名づけられることで、世界は、言語的に分節化され、様々な事物の相互連関的構造体へと組織化されるが、井筒は、この深層に、名づけられていくことに先立つ事物の存在を感知し、この感覚から、無差別的で未分化の、無分節的なカオスの世界があると考えていく。[2]

公共圏という世界像

人間世界をその一部分として含みこむ拡がりとしての世界は、言語的分節化をへて現出する人間世界の形成に先立つところに存在している。人為的秩序の構築に先立つ、カオスまたは混沌としての世界である。気候危機とともに私たちは、人為的秩序から遠く離れたところに広がる時空の存在に気づくことになる。この時空のなかで生きていることへの自覚から、新たなる思考を試みるよりほかない状況のなかで私たちは生きるようになっている。

だが、私たちは普段はこの世界の存在に気づかない。というのも、私たちは、社会や文化といった領域のなかで生き、思考し、議論するとき、何らかの価値観、イデオロギー、観点といったものに立脚し、何らかの観点を、自らのよって立つ信念として、絶対的に正しいものとして、保持してしまっているからである。井筒の議論を踏まえていうなら、その基本には言語的分節がある。社会や文化といった領域のなかにいるとき、私たちをとりまく事物や世界の知覚においては、言語的分節をつうじて形成される世界像が決定的な役割をはたすことになる。[3]

世界像は、公共的な議論、つまりはコミュニケーション的言語作用をつうじて、「私たち」によって共有されていくと考えることもできる。それは、コミュニケーション的な実践をつうじて、複数の異なる世界像が一つのものへと統合され、「私たち」の公的世界像に収斂していく過程であるともいえる。マルクス・ガブリエル（一九八〇年生）は、世界を統制的な理念に支えられた公共圏と同一視した哲学者の一人がユルゲン・ハーバーマス（一九二九年生）だと述べている（Gabriel 2015a, pp. 46-48／七一—七三頁）。

ハーバーマスは、公共圏を次のように定義する。

「公共圏」はまず、公共的な意見にかかわる事柄が形成されるところとしての社会生活の領域を意味する。そこへのアクセスは、すべての市民に保証されている。私的な個々人が集まって公共的な場をつくりだすところとしてのあらゆる会話において、公共圏の一部が存在するようになる。(Habermas, Lennox, and Lennox 1974, p. 49)

公共圏でのやりとりにおいて重要なのは、社会的・文化的文脈の共有である。そこで様々な人が議論し、承認し、差異を認め、多文化性を認めることをつうじて、ジェンダー、セクシュアリティ、障碍、貧困、人種、国籍、環境正義、世代をめぐる隔（へだ）てを超えた水平的で包摂的な共生が模索されるが、そこで暗黙のうちに共有される文脈——正しさ、公平性をめぐる基準など——を共有できない人は、除け者にされるか、あるいは無視され、存在しないことにされる。

シャンタル・ムフ（一九四三年生）のように、ハーバーマスが考える公共圏を「敵対性

(antagonism)」の観点から批判し拡張しようと試みる論者はいる。ムフは、公共圏を理性的な討論をつうじた合意形成の場と考えることに反対し、公共圏は異なるプロジェクトが競い合うところであり、そこではかならずしも最終的な和解に達するとは限らない、と主張する。公共圏は単数ではなく、複数である。だが、公共圏では「敵対的な衝突が言説的な表層の多数性において発生する」という見解からも明らかなように、ムフもまた、公共圏を言説的な構築物と考えている (Mouffe 2008, p. 10)。それゆえ、芸術作品の制作をつうじた公共圏への介入を論じるときにも、ムフはその役割を「敵対的な公共空間の創出」と捉え、その目的に関して「支配的なコンセンサスによって抑圧されたすべてのものを白日にさらす」(ibid., p. 13) とはいうものの、結局のところ、その転覆作用は言説的な構築物としての公共圏の再編成を試みることにしかならない。

ムフの立場に従うとしたら、現実世界で起きている諸々のアート実践は、公共圏の内部での敵対関係の構図との関連で解釈されてしかるべき、ということになる。アート実践は、現存秩序の転覆作用があるかどうか、その度合はどの程度のものか、といった観点から評価されることになるだろう。[4] さらに問題なのは、ムフのいう政治的アートは「象徴秩序の構成と維持」に対する介入であって、その外側に広がっている事物の世界、深層的で未分節的な世界に及ぶものとしては考えられていない、ということである。すなわち、アートは支配的なコンセンサスの下部に抑圧されている現実の事物性に迫るものとしては考えられていない。

公共圏の外部へ

エコロジカルな危機において再発見されようとしている外的な拡がりとしての世界は、ハーバーマスやムフが重視する公共圏とは無関係のものとして存在する。つまり、世界は、公共圏で議論している人たちにはアクセスできないものとして存在する。にもかかわらず、公共圏との相関で世界が存在すると信じる人たちは、公共圏の外部には世界は存在しないと考えている。なぜだろうか。

メイヤスーの哲学では、人間の意識や言語や思考と相関する世界と、それを離れた世界の二つが区別されている。これを踏まえるなら、ハーバーマスの哲学は、後者の世界を前者に還元してしまうものとして捉えることができる。

さらにいうと、ハーバーマスの哲学においては、メイヤスーのいう共同体的独我論が成立している。それは「「思考する存在者」の共同体に先行するか、あるいは後にやってくるかもしれない現実のいかなるものをも思考するのは不可能であるということを認める」立場のことである。「この共同体がかかわるのは、ただ己だけであり、それと同時的である世界だけである」(Meillassoux 2008, p. 50／八九―九〇頁)。

「共同体主義」や「間主観性」という言葉とともに語られる「共同体の独我論」。メイヤスーは、そこから抜け出すことこそが世界へのアクセスだと述べている。このことが意味するのは、言語そのもの、言語一般からの脱却ではない。「私たち」、つまりは限定的な共同体の内部で通用する言葉(身内で通用する言葉)と相関するものとして世界は実在し、その外部には何もない、と考える立場からの脱却である。

現在、私たちが経験している世界の不安定化は、限定的な共同体内部での議論を離れたところで起こりつつある現実の出来事である。温暖化、パンデミック、集中豪雨、台風、津波、水没といった出来事は、従来型の共同体的独我論との相関で形成された世界像に揺さぶりをかける。人間生活は、身の回りだけで自己完結するのではないし、それを包括する公共圏だけで自己完結するのでもない。私たちが生きているところは、人間の生活世界を超えた、広大な領域としての世界の一部でしかない。

だが、それはかならずしも人間世界そのものの消滅または絶滅を意味しない。むしろ、人間世界を支えてきた思想的設定が壊れかけていると考えたほうがいい。イタリア出身でロンドン在住の哲学者であるフェデリコ・カンパーニャ（一九八四年生）が示唆するように、現実のシステム、現実の設定そのものの不安定化として考えることもできるだろう。すなわち、「私たちが住みつくことのできる世界を意味のあるものとして構築するための土台」（Campagna 2018, p. 4）の不安定化である（なお、カンパーニャはヴァーソ社の編集者で、モートンの著書『ヒューマンカインド』（二〇一七年）の担当者でもある）。

カンパーニャのいう「現実」は、人間的尺度を超えた広大な領域を意味している。それに対して、彼のいう「現実設定」は、現実、つまりは人間的尺度を超えたところで起きていることを意味のあるものにし、日常的な身の回りにかかわることとして理解可能にしてくれるシステムを意味している。システムが、人間が住みつくところとしての世界を形成する。現実そのものは、脆弱で、定まらず、ともすればカオスに陥るが、このカオスにおいて、一定の設定のもとで人間世界が形成されることではじめて、私たちは安定的な生活を営むことができるようになる。

カンパーニャの考えでは、現代においては、人間生活の支えとなるべき現実設定が不安定化している。カンパーニャは次のように述べる。

現実が変わると、世界もやはり徹底的に変わる。文化的価値が、世界において何かを読んだり判断したりするやり方を規定するのに対して、現実そのものは、世界をつくりだす実体が何であるかについての私たちの一般的な理解に対応する。現実の状態の変化は、世界の根本的な構成における変容を引き起こすが、この変容はさらに世界のなかでの存在や行為、想像の可能性にまでおよぶ。(ibid., p. 15)

現実の根本的な変化。それは人間的尺度を離れたところで起きている。そして、この変化が、変化以前に保たれていた現実設定にもとづくところに形成された人間世界を揺さぶる。のみならず、世界のなかでの存在の仕方や行為、言語、思考の仕方にも揺さぶりをかける。現実の変化は、変化以前に保たれていた世界像に規定された思考や感覚のもとでは、破局として、または崩壊として経験されるかもしれない。それを世界の崩壊と考えることもできるだろうが、別の世界の始まりと考えることもできるのではないか。チャクラバルティが述べているように、ここで問題なのは「世界規模」での「種の生存」であり、つまりは人間が絶滅しうる状況へと世界が変容しつつある、ということである(Chakrabarty 2012, p. 15)。この変容がいかなるものなのか、何が変容しているのかを考えつつ、この変容において、なおも人間が生きていくことが可能な状況として、そこを立て直すことができるかが問われている。そのためにも、新しい世界設定が求められている。

とはいえ、カンパーニャも述べているように、崩壊から始まりへの移行はうまくいかない。現実の変化以前に保たれていた世界像は、変化した現実とのかかわりを欠いているが、それでも空虚に存続しているかもしれない。そこでは世界像の崩壊が自覚されていない。空虚になった世界像のもとで日常生活が存続する、ということもありうる。だが、それでも人間的尺度を超えたところで現実の変化は続いていく。

重要なのは、従来の世界像の崩壊を認めることだ。そのうえで、変化する現実においてなおも生きていくことの支えになりうるものとして世界を再構築するのにふさわしい土台または設定のための原理を問い、理詰めで言語化することである――これが現代の哲学の課題であるはずだ。

現実の変化において崩壊した世界像の一つが、公共圏である。本書で私は、世界の再構築のための原理は、公共圏のなかで共有され、事物と世界の知覚の仕方を規定してくるあまりにも人間的な構築物からは離れたところに発見されるだろう、と主張する。

私たちがいるところを問う

本書は、世界の形成原理としての現実設定を、私たちがいるところとしての場所にかかわることとして考えていく。西田幾多郎は「於いてあるところ」として場所を概念化し、それを人間存在の実存的な条件として展開したが、私は西田のこの試みを参照している。それは、超越的なものとして定められた目的としての形成原理とは異なる、私たちが現実に存在しているところにおいて働いている、無形の形成原理を見出す試みである。

この関心から、ガブリエルの著作（『なぜ世界は存在しないのか』（二〇一三年）や『意味の場』（二〇一五年））を読み解くことができる。ガブリエルが提唱する新しい実在論は「私たちがいるところとしての場のようなもの」にかかわる哲学的な思考の試みだと私は考える。実際、ガブリエルは「そもそもすべてはどこで起こっているのか」と問うている（Gabriel 2015a, p. 21／三七頁）。ここには「私たちが生きているところ」への問いもまた含まれている、と私は考える。ガブリエルの哲学は、人間存在の実存的条件をめぐる哲学である。それも、災害や大量殺戮とともに不安が高まり、それを的確に伝えているかどうかが不明な大量の情報がテレビやインターネット上で流されるなか、現実感のよりどころをどこに求めたらよいのかがわからなくなっている状況のなかでの哲学である。

新しい実在論の哲学で問われるのは、表層ではなく深層、つまりは背景的な世界である。新しい実在論を支持する哲学者マウリツィオ・フェラーリス（一九五六年生）は次のように論じる。

そのような世界には、最大限の存在論的な積極性がある。そのような世界の不透明さと抵抗、すなわち概念や思考に従うことの拒否こそが、わたしたちの携わるそのつどの対象の世界がけっして夢ではないことを確証してくれるからである。（Ferraris 2015, p. 154／一八五頁）

フェラーリスの考えでは、新しい実在論は、人間の意識や言語、さらにはメディアが現実を構築すると考える立場の終焉の後に現れた。メディアで流される情報をもとにして組み立てられる現実像が実際の現実と符合しないというだけでなくそのあり方を歪めたものにするという風潮は、「フェイクニュース」のような言葉が流通するよりも早くに始まっていた。それをフェラーリスはこう言い表す。

「事実は存在せず、解釈だけが存在する」というニーチェの原理がじっさい何を結果したのかを、わたしたちはメディアによって——いくつかの政治的綱領によっても——目の当たりにさせられてきた。わずか数年前までは、このニーチェの原理を解放の方途として提案する哲学者もいたが、じっさいには、この原理は、何であれ望むことを言ったり行ったりするのを正当化するものとして現れた。(ibid., p. 144／一七九頁)

すでに述べたように、ガブリエルも「良好なコミュニケーションを言説的なものとして想定する」というハーバーマスの考えには批判的である。公共圏のようなものを一つの全体として想定し、それとの関連で世界が形成されていくと考えることに批判的である (Gabriel 2015b, p. 6)。

ガブリエルの主張は正しい。というのも、私をとりまく世界では言葉にならないことが多く発生しているからだ。風、雪や砂の音、川のせせらぎなど、音響的で触覚的なことが、無数に発生している。とりまくものとしての世界は、言語化されることに先立つ、質感、雰囲気、感触的なものとして発生し、存在している。現実の変化は、言語にされるよりもまず音響的で触覚的なところにおいて感じられる。ここに鋭敏に反応するアーティストたちは、人間主観から離脱した機械としてのカメラで風景を撮影し、録音機材で音を採取し（フィールドレコーディング）、言語化されるのに先立つ領域にかかわる作品を制作している。それらの作品は、風景に刻み込まれた痕跡の機械的知覚をベースにして、質感や雰囲気を、人間主観と相関している作品以上にリアルに漂わせていく。

にもかかわらず、公共圏の内部では、言論として流通していくものだけが意味のある情報とみなされてしまう。それ以外は、意味のないものとして切り捨てられ、ないことにされる。ガブリエルの哲学は、この状況を克服するための哲学として読み解くことができる。

大切なのは、言論の領域の形成に先立つところで現実に起きていることに関心を向け、感度を高めていくことである。そこに世界をめぐる現実感のよりどころを求め、世界の形成の原理としての現実設定の手がかりを見出していくことである。この課題に対して、ガブリエルは「意味＝感覚の場」が複数集まるところとして、世界を考えようとしている。そこは、存在するものが意味あるものとして現れ、そして感覚されるものとして現れるところとしての場である。「存在することとは、意味の場において客観的に現れることである」（ibid., p. 166）。ガブリエルの考えでは、存在の意味は人間を離れたところにあるものとしての背景または場において生じうる。言い換えると、そこにおいて現れるものは「それを把握することの、ローカルであまりにも人間的な条件に普通は制約されない」。つまり、意味の場において現れることとは、人間の観点から離れたところで起こる。それは、人間が考え出した一つの調和したものとしての世界像とは無関係に起こる。だが、ガブリエルはかならずしも世界そのものが不在であるとは考えない。何らかのものが意味のあるものとして現れるところとしての場が複数集まっているものとして世界がある、と考えている。

場所への問い

ガブリエルは、存在感のリアリティを、意味や感覚の生じるところとしての場において確かめていく。意味の場は、人間の内面からは独立したところにあるものとして考えられている。存在感の確かさをめぐるガブリエルの思考の起点には、自分が生きていて経験しているはずの現実は、じつは巨大な幻想で、ただの夢でしかないのではないかという、不安混じりの疑念がある（Gabriel 2015a, p. 20／三六頁）。現実と夢、現実と虚構の二元的区別を認めるなら、存在感の確かさは、夢とは異なるものとしての現実に求められることになるだろう。ガブリエルが独自なのは、この二元的区別とは別のところに存在感の確かさを求めていこうとするからである。実際、私たちが日常生活の多くを営むところとなったオンライン世界で自分が確かに存在しているということの根拠をどこに求めたらいいのか。虚構と現実の区別が掘り崩され、相互浸透的になっていく状況において、なおも虚構と区別される混じりけのない現実を求めるのとは違うやり方で存在感を意味あるものにしてくれるものを問うことが、ガブリエルの哲学の核にある。だが、ガブリエルのいう「意味の場」は、私が論じようとしている場所的なものとは若干異なっている。私たちが存在することを可能にし、その存在を現実にする実存的条件としての場所とは異なっている。

私は、世界への問いを、場所の問いとして提示する。存在感というより、存在するということを支え、それが確かな現実になることを支えるものとしての場所を問う、ということである。エドワード・ケーシー（一九三九年生）が述べているように、「そもそも存在するとは、つまり何らかの仕方で実在するとは、どこかに存在することなのであり、どこかに存在するとは、何らかの類の場所に存在するということなのである」(Casey 1997, p. ix/九頁)。ゆえに、場所は、私たちが身を浸すところとしての場所を意味する。

場所は、私たちが生き、住みつくことを支える土台として存在する。場所には自律性があり、質感がある。そこは目的地であり、行き先であり、向かうところでもある。ケーシーは、場所そのものを、言葉で言い尽くすことのできない何ものかだという。[5]

だが、それはかならずしも、純粋無垢な自然に根ざす、統一的な全体として存在すると考えられる実体としての場所を意味しない。建物が建ち、道路が敷設され、商業化された広場が建てられていく現代の都市的状況が成立する土台としての場所を問うことが、ここでの目的である。

テクノロジカルに改変された都市的環境は、人工的な環境である。そして、そこは実在の事物だけでなく、大量の人、自動車、情報の往来が発生させる感覚的な刺激物、さらには幻想的な事物で満たされている。本物と虚像が混在している。都市のなかでは、実在の事物と感覚的・幻想的な事物がバラバラな状態で寄せ集められ、集積されていくが、ともすれば、そのなかで人は自分がどこにいるのかわからなくなってしまう。すなわち、世界喪失、環境喪失の気分である。それでも、私たちは実際にそこで生きてしまっている。

ケーシーが述べているように、この現代的都市の状況を「場所なき場所」と言い表すこともできる。伝統的・歴史的な意味の喪失以後の場所である。だが、場所性の欠如という言語的構築物とはかかわりなく、人工環境のなかで、人は何らかのところに住みついていて、そこにおいて存在している。海辺に広がる埋立地であっても、人はそこを、自らの存在を支えるところとして受け入れ、実際に住んでいる。

埋立地も、郊外の宅地造成地も、事物が集積されていくことの土台であり、地表としての条件である。私たちはそこを、場所なき場所でありながら、事物で満たされ、その痕跡が刻み込まれていくところとして経験している。

事物の増大は、ただ人間にかかわるだけではない。それは、人間生活の土台となる、地表としての条件にも影響を及ぼす。都市建設は土地利用を変化させ、プラスチック製品の増大は海洋汚染を引き起こす。地層に人間の痕跡が刻み込まれ、積み重なっていく。『世界の終わり』で、ダノウスキーとヴィヴェイロス・デ・カストロは、惑星そのものが人間の製造物と廃棄物の蓄積によって窒息させられている、と主張する（Danowski and Viveiros De Castro 2017, p. 26）。

彼らの考えでは、地質的なものの改変は、たんに自然科学にかかわるだけの問題ではない。それは哲学にもかかわってくる。すなわち、世界の存立にかかわる形而上学な議論が台頭したのは、人間の条件そのものが地球の人為的改変ゆえに不安定的になっているからである。ダノウスキーとヴィヴェイロス・デ・カストロは述べている。

たとえば、この数年において、それぞれなりのやり方で「世界を終わらせること」を提唱する、新しくて洗練された概念的議論が構想されてきた。それは人間のための世界以外の何ものでもないと考えられてきた世界を終わらせることだが、そうすることで、人間の理解が介入してくることに絶対的に先行するところで形になる「私たちなき世界」への認識論的なアクセスが正当化されることになるだろう。(ibid., p. 3)

世界を終わらせることは、世界そのものの消滅を意味しない。それは、変化する現実に対応できない既存の世界像を終わらせることを意味している。そこでは、世界は人間の相関物であり、安定的な背景である、という考え方を終わらせることが目指されている。世界は、人間の尺度、理解といったものを離れたところで、人間の願いや希望といったものとは無関係に存在しているという感覚が、人びとのあいだで潜在的に高まっている。人間は、広大な非人間的世界のなかの、ごく一部に住みついている。この現実感覚にふさわしい世界像の形成が、現代において求められている。人間的尺度を離れたところで、人間世界を一部とする非人間的世界の拡がりにおいて、私たちが生きているところについて考えることが求められている。世界像の形成は、通常の知覚を離れたところに漂っている、不確かだが、それでもリアルなものをかたちにしていくことで、可能になるだろう。

人新世は、人間の行為の積み重ねの果てに生じた現実的な事態である。そのかぎりでは、人間の問題である。だが他方で、人新世においては、地質的時空という、人間の歴史と相関することのない巨大な時空のなかに生きてしまっていることを自覚できるかどうかが問われている。チャクラバルティが述べているように、そこでは「地質学的な時期区分が通常包含している何億年もの時間と、資本主義の歴史を構成すると言われるせいぜいのところ五〇〇年の時間のあいだでの相克」(Chakrabarty 2018a, p. 6) が生じている、と考えたほうがいいのかもしれない。

私たちから離れた世界

ガブリエルは、統一されていて調和したものとしての世界像は現実世界の変容にはふさわしくない、と考えている。求められているのは、世界像の変更である。ガブリエル自身ははっきり述べていないが、彼の議論の背後には、おそらく、近代の世界像と変わろうとしている現実世界のリアリティのあいだに生じた溝を直視し、そこから世界についての形而上学的な議論を始めるべきだ、という切迫感がある。

ところで、この不安感そのものは、ガブリエル以外の著者たちにも共有されている。ダノウスキーとヴィヴェイロス・デ・カストロが述べているように、ここから出てくるヴィジョンの一つが「私たちのいない世界」である。それは、世界を「私たちのための世界」として考えるのをやめることを意味する。私たちから離れたところにあるものとして、私たちが生きているかどうかとはかかわりなく存在してしまっているものとして、世界を考えることである。

だが、世界が私たちから離れているということは、かならずしも、そこに人間がいなくなることを意味しない。もちろん、人間が消えた世界を、未来において起こりうることとして考えるのは可能である。だが、それは現代の哲学で描かれる、人間から離れた世界とは異なっている。人間から離れた世界とは、人間が生きていることに先立って存在する世界のことである。それは、言い換えると、世界には人間が定めた尺度に従わせることのできない側面があり、人間的ではない側面がある、ということだ。ただし、そこにおいて人間は、かならずしも存在しないのではない。人間に先立つところ、人間から離れたところにある世界に、人間もまた住みついている。

ガブリエルの考えでは、ここで重要なのは「世界がいかなるものかという問題」を、理性的な動物としての人間の生をめぐる探究の観点を外して思考することである。

西洋の哲学では、人間中心の考えが優勢であった。他の動物や事物とは異なるものとされる人間の存在を考えるのが主流であった。ガブリエルは、これに反対して、人間の存在ではなく、存在そのものを重視する、と宣言する。にもかかわらず、ガブリエルは存在を人間との関連で考えようとする。哲学者としてのガブリエルは、人間への関心を失ったりはしない。人間には、人間であることをやめることなどできない。人間でありながら、動物的である。この矛盾的状態について、ガブリエルは世界の観点から考えていく。

ガブリエルの考えでは、人間は他の動物たちとともに世界へとかかわり、世界のなかに入り込んでいる。その点で、人間は他の動物と連続している。ガブリエルは、人間を人間以外のものとの連関のなかで考えるべく、私たち自身を知ることへの関心から離れていこうとする。ガブリエルは次のように述べる。

> 「実存（existence）」が何であるかを知りたいという欲望が、私たち自身を知りたいという欲望によって駆動されるということは、概念上、あってはならない。（Gabriel 2015b, p. 37）

ガブリエルは、私たち自身が何であるかを知りたいという欲望へのとらわれから自由になっていくことが求められるという。それはつまり、私たち自身ではないもの、人間ではないものにまで考察の範囲を広げ、それらとは違っているが切り離されてもいないものとして人間を考えていく、ということである。

人間に先立つ世界、ないしは、人間から離れたところにある世界。人間が、人間ならざるものと出会い、共存するところとしての世界。そこは人間的尺度から離れている。言語が語られ言語によって共有される人間的な公共領域とは無関係に存在する。おそらくは、エコロジカルな危機、地球的なものと出会ってしまったことに気づいた人が感じる不安は、ここに由来する。人間の言語、理性的な討論との相関で自分たちの生きている世界が存在しうると考えること自体が無効になったのかもしれないが、にもかかわらず、そのような世界像に代わる思考と言葉は散発的で、なかなか共有されることがない。だから、人は不安になる。ここで大切なのは、人間的なものとは無関係な世界のなかで生きているという現実にふさわしい世界像を描き出すことである。手がかりは、通常の常識にとらわれているかぎり知覚困難だが、それでも確かに生じているはずの、おぼろげな兆候である。

ガブリエルは、自らの哲学的な立場を、人間存在が何らかの認知的な関心を向けるかどうかとはかかわりのないものとして存在そのものを考えるものだと述べている。これは、もしかしたら、人間の知識成立に先立つところにあるものとして存在そのものを考えること、さらには、人間をも含めた諸々が存在しているところを感じつつ考えていくことが大切であるということを示唆するものともいえるのではないか。

一九一七年の「種々の世界」で、西田幾多郎は、主観的自我において成り立つ先天的な形式と相関するものとして現実の対象を考えるのがカントの立場だと言いつつ、カントにおいては認識以前の物自体の世界の存在が否定されていない、と主張している。それは「概念的知識以前に与えられた直接経験」であり、「我々の認識することのできない知識以前」のものである（西田 一九八七a、九頁）。西田の考えでは、カントがその存在を示唆した知識以前のものは、主観的自我を離れた客観的世界、歴史的世界として現実に存在しており、人間はこの世界に属し、出入りしている。

しかも、西田の考えでは、客観的な世界としての歴史的世界は、自然科学で解明される自然界とは異なっている。西田は、自然界が唯一の世界と考えられていることに反対する。それは「唯一つの世界であって、必ずしも唯一の世界ではない」（同書、一六頁）。もちろん、西田は自然界の存在を否定していない。自然科学の対象である自然界をも含めた様々な世界がある、と言っているにすぎない。自然界以外にも、歴史的世界、芸術の世界、宗教の世界など、種々の世界があると西田は続けていくが、この考えは、ガブリエルのいう、複数の意味の場として世界が存在する、という主張に近い。一九一七年に提唱された西田の主張は、世界の形成原理をめぐる考察として読み直すことが可能である。西田のいう「種々の世界」とは、人間が属するところでありながら主観的自我から離れていて、客観的実在でありながら自然科学の対象である自然界へと一元的に統合されることのない世界である。

世界の痕跡

世界の種々性という特質は、ドイツや日本、西洋と東洋というような、すでにある文化的背景の違いに由来するのではない。人間が、自ら生きているところへと出入りし没入していくなか、独特の個性をその場に刻み残すことで、場は独特になり、種々のものになる。

西田は次のように言う。「如何なる人も死んで灰となってしまえば、物体としては何の人も変らぬかも知れない、しかし歴史的実在としては各々の人が一あって二なき個性を有った実在であったということができる」（西田 一九八七ａ、一七頁）。生の個性、つまりは確かに生きていたことの痕跡を、世界に刻み込まれていくものとして考えるのであれば、この一文は次のことを述べたものとして解釈できる――死体は物体としてみたらすべて自然科学の対象として客観的に観察可能な事物でしかないが、生きていた人が残す痕跡はそれぞれに違う。死体への変化以前に生きていたはずのその人の個性は、痕跡として世に刻まれる。もちろん、死体になる前にも現実に人は生きていて、生きていたはずの場所に己の痕跡を刻みつけているはずである。今まさに生きている人も、日々自らの痕跡を自分が存在しているところである場所に刻みつつ、個性ある実在として存在しているはずである。物体としての灰とは異なる種々の痕跡が刻み込まれたところとして、世界もまた実在している。そうであるならば、私たちが種々の世界に属し出入りすることは、痕跡をそこに刻み入れ、自分たちの世界にしていくことだと言えるだろう。

人間から離れた世界は、人間の絶滅以後の世界と同じではない。人間の思考や共通の意見、人間が定めた「正しさ」からは離れているが、そこで人間もまた住みつき、痕跡を刻みつつ存在することを支えるものとしての世界を意味している。これはメイヤスーのアイデアだが、ダノウスキーとヴィヴェイロス・デ・カストロは、メイヤスーの「人々なき世界」の思想を、ただの抽象的な哲学的思弁にかかわる問題としてではなく、実際に私たちが住みつく世界にかかわるものとして読み解いていく。それも、世界が不安定化していく状況にかかわるものとして読み解いていく。

彼らの考えでは、メイヤスーは、人間および言語や文化の到来以前に発生した事柄への関心から、自らの哲学を展開している。具体的には、宇宙の始源や地球における生命の発生、人類の始源などだが、これらは人間の言語が及ばないところで生じる出来事、つまりは前‐言語的かつ外‐言語的な出来事だといえるだろう。ダノウスキーとヴィヴェイロス・デ・カストロは、この出来事の起こるところとしての世界に生じる何ものかを次のように言い表す。それは「人間の到来に先行するが、それでも知識で接近しうる、現実と出来事の物質的な痕跡である」（Danowski and Viveiros De Castro 2017, p. 33）と。

人間がいないところで、世界は実在している。人間的尺度から離れたところに実在する世界で、人間は生きている。そこで出来事は、確かに起きている。ものとして実在している。だが、それは明瞭に見ることができ、手で触れることのできる、確かな事物として存在するとはかぎらない。ただかたちなき痕跡としてしか存在しないこともある。かたちなき痕跡は、思考からは断絶されているが、世界において現実に刻みこまれ、積み重なっていく。この痕跡の事物性、現実性を、どう考えたらいいのか。

写真家の米田知子（一九六五年生）は、歴史は「原風景の層（the strata of landscape）」だと主張する。

歴史は、目に見えるモニュメントや建造物だけに現れるものではなく、
その軌跡は無形にも平然と存在する。
青空、青い海、木々や野原、町のあらゆる場所に息づいているにもかかわらず、
我々が生まれた土地の原風景にすでに刻まれて層となり、
思考からは断絶され、静止しているかのようだ。
しかし、その影は経験によって蓄えられた認識と対話をしながら、
視覚の奥深くに入り込み、日常生活に生きているのだ。（米田二〇一三、一一頁）

暴力や悪、悲劇の出来事も、あるいは、つつましい日々の営みも、現実の場所で生じた。だが、それらは遺跡のように定まり現前している事物として残されているとはかぎらない。ゆえに、痕跡は目に見えない。本当に起きたことなのか、ただの幻影でしかないのか、判然としないことがある。その確かさを主張するには、実際に起きたところに刻まれた痕跡、それも、感じられるものとしての痕跡を、よりどころにするしかない。しかし、出来事の痕跡は、人間の思考を、さらには言葉を離れたところとしての場所に、無形のものとして、言語化されえぬものとして、刻み込まれている。

痕跡を感じるには、ただ痕跡が発する信号を知的に受けとめ分析するだけでなく、それが己の内的空間の奥深くに入り込むのを許さなくてはならない。内的空間の深みに入り込んでくる、その痕跡の確かな感触を手がかりにすることではじめて、人間は本当の言葉を発することができるようになる。

痕跡は、何かが確かに生きていたところ、あるいは、何かによって生きられていたところにおい

て、残されている。建てられていた住宅が取り壊されて更地になり、売地の看板が立てられている空き地であっても、そこで生活していた人たちが残した痕跡はある。痕跡において、何が実在するのか。痕跡はまず、何かによって生きられていた場所に残されたものの漂いである。つまり、かつてあったものがなくなり、不在になったところで生じている。そこには、人間生活が営まれているところとして保たれていた生の場所がなくなったというまさにそのことが、その不在性において実在する、と考えることもできるだろう。

生きているということそれ自体が消える。それでも、人のいなくなった住宅、住宅のなくなった空き地、人が消え去った廃墟都市は、人が生きていたということそれ自体の不在状況において、事物として実在している。空き家も廃墟も、人がいて、人によって生きられていたところとして実在する。人間が生活するということの終わり、つまりは生の極限的事態が、空き家において、さらには廃墟、被災地において、痕跡としてとどめられる。痕跡が、生きていたことの確かさを漂わせている。

残骸における生

人間が消滅していくところに刻まれていく痕跡の場所。そこは、事物が人間から見放され、放擲されていくところだが、フレッド・モーテンは、エリック・サントナー（一九五五年生）のベンヤミン読解（Santner 2006）を注釈しつつ、それを「廃墟化」として考えていく。

サントナーは、ベンヤミンが『ドイツ悲劇の根源』（一九二八年）で論じた「自然史」を、廃墟論として考察する。この考察は、人間生活を、文化や公共圏のような精神的実体とは異なる事物的なものとのかかわりにおいて成り立つものとして捉え、そのうえでベンヤミンを、生きている状態の崩壊と終わりの観点から世界の事物性を考えようとしたものとして読み解いていく。

> ベンヤミンいわく、自然史（Naturgeschichte）は、人間生活とその心の基本構造の崩壊、さらにその物化（reification）と関係する。すなわち、自然史が意味するのは、自然にも歴史がある、という事実ではない。それが意味するのは、むしろ、人間の歴史の人為的産物が、生の生き生きとした形態のなかで居場所を失い始める、まさにその瞬間、無言の自然な存在の相を得ることになる、という事実（建築の廃墟が自然に戻っていくプロセスについて考えてみよ）である。〔…〕人間存在には、ただ自然だけでなく、第二の自然も備わっているので、人為的産物が生の歴史的形態のなかで居場所を失うとき――生活形式が減衰し、尽き果て、あるいは死んでいくとき――、私たちはそれを脱自然化されてしまった何ものかとして、歴史的存在のただの残骸へと変容されていく何ものかとして経験する。(Moten 2018, p. 16)

モーテンのいう「地下世界での生の執拗なはかなさととらえがたさ」は、人間が自らの生存のための支えとして建造した人為的産物の崩壊の後に漂っている。だが、その崩壊は、たんなる物理現象ではない。サントナーのベンヤミン読解においては、人為的産物は第二の自然である。すなわち、人為的秩序の成立以前に存在したといわれる無垢な自然とは異なる、象徴的で文化的なもののことであり、人為であるにもかかわらず、あたかも自然であるかのように存在しているもののことを意味する。このような第二の自然が下敷きになって、人間の生活世界が成り立っている。人為的産物の崩壊は、減衰と消尽、死として起こる、とサントナーはいうが、この崩壊は、壁がひび割れ、屋根が飛び、浸水するというようにして起こることもあれば、住人が去った後、雑草が茂り、静かに朽ちていくというようにして起こることもあるだろう。つまり、それはまず事物にかかわる事態として起こる。人間の思考とは相関しないところとしての事物の世界で起こる。

そして、この崩壊は、場所にかかわる事態でもある。サントナーは、人為的産物の死を「生の歴史的形態における居場所の喪失」と言い表している。これは、建築をとりまき支えた根拠としての場所そのものの変容と考えることもできる。そこでは、崩壊し、そして死滅した人為的産物の廃墟化が起こる。廃墟化は、たんなる物理的現象にとどまらない、不気味化または不穏化として起こる。不安や心細さ、寂しさといった何らかの気分の発生をともなう事態である。

かくして、人為的産物の崩壊とともに変容した場所は、生者の領域としての安穏とした都市には収まることのない、放擲された場所として存在する。だが、放擲された場所は、完全に消えてしまったのではない。そこは、かつては何かが住みつき生きていたことの痕跡をとどめる廃墟として存在する。モーテンは、サントナーの議論で重要なのは「人為的産物が寄る辺を失い、帰属場所をも失った状態で、なおもそれが存続していることである」と主張している（ibid., p. 47）。崩壊と喪失において残された事物としての残骸は、一方で、人為的産物で構成された都市の外縁、つまりは地下世界、死と隣り合わせの危険地帯の存在を告げるものだが、他方では、完全なる死には至ることのない執拗な生の強度を感じさせるものでもある。一度は死んだと思われたところが、新しい生活の拠点になる。

それはけっして自然への回帰を意味しない。崩壊しつつある人為的産物としての人間世界を逃れ、その崩壊後を見据えて新しい生き方を始めた者たちが散乱しつつ集まるところに成り立つ新世界のことを意味する。

世界の感触

メイヤスーも、思考から断絶されたところにある世界を、感触とともに語ろうとしている。彼の考えでは、思考の外部としての世界は「私たちに関係しないものであり、私たちに与えられることとは関係なく、自らを与え、それがそうであるようにあり、私たちがそれを思考しようとしなかろうと、それ自体として存在していたのである。そのとき、思考はこの《外部》を、異邦の土地であるという確かな感触（feeling）と共に駆け回ることができていた——完全に別のところにいるという確かな感触とともに、である」（Meillassoux 2008, p. 7／一九—二〇頁）。

ここで言われていることから、さしあたり以下のことを読み取ることができるだろう。

(1)世界は、私たちの思考とはかかわりのないところに存在する。ここで言われる思考とは、世界とは人間が定めた尺度に従う必然的なものであると考えてしまうときの、私たちの思考のことである。この通常的な思考を逃れ、それとは無関係なところにあるものとして、メイヤスーは世界を思考する。

(2)メイヤスーの思考は、思考の外部としての世界を異邦の土地として感じ取る、確かな感触に発している。そのかぎりでは、まったくの抽象的思弁とは異なる。言語と意識のなかに閉じ込められた状態の外に広がる世界を、異邦として感じている。ゆえに、彼のいう世界は、現実から遊離した観念や夢想ではない。現実において実在する何ものかとして、既存の人間的尺度を離れているがそれでも感触可能な何ものかとして存在している。

(3)世界の感触は、感じる私がいてもいなくても現実において生じている、無形のもののことである。聴かれ、触れられるものとして、無形の気配として漂っている。それゆえ、無形ではあっても、そこに触れるとき、人は何かを感じとる。ただし、感じる人がいるかいないかは重要ではない。

思考し感じる人がいるかどうかとはかかわりなく世界において実際に生じる質感を、いかなるものと考えたらいいのか。音響的な質、嗅覚的な質は、普通は、聴かれ、嗅がれるかぎりにおいて存在すると考えられている。すなわち、感覚的なものと関係する「私」なるものが存在するから、音響的な質や嗅覚的な質が世界において生じうると考えられているが、メイヤスーは、私がいるということとはかかわりなく存在しうる性質(「事物そのものの特性(properties of object in itself)」)が世界にはある、と考えている。それは「事物から切り離されることがないと想定されている性質、私がそれを把握するのをやめたときでさえ、そのものに属していると想定される性質のことである」(ibid., p. 3/一二頁)。

メイヤスーは、世界と私のあいだの相関関係を離れたところに、ある質感が存在する、と考えている。ところが、メイヤスーは、この質感を数学的な用語で定式化されるものとして考えようとしてしまう。これに対して私は、世界における質感は、かたちなきものとして、つまりは影と同じく無形だが、音響のように、ないしは気配のように漂っている空間的なものとして捉えることができる、と考えている。世界の感触――それは、私がいなかったときにも生じていたし、現在においても生じつつある。そして、この感触は、私がいなくなる未来においても、痕跡として残るだろう。だが、言語の檻(おり)のなかに閉じ込められ、テレビ化されSNS化されてしまった平坦で空疎な公共圏のなかでシェアされる議論との相関でしか思考できない状態にあるとき、人はそれを感じることができずにいる。

私の主要な関心は、次のことだ。変化し、崩壊し、終わろうとしている世界のなかで、なおも現実に生きていると感じつつ、まともに生活することの支えにすべきよりどころを、いったいどこに求めたらいいのか。この問いとともに、私は公共圏で保持されている世界像に取って代わりうる、新たな世界形成の原理を探し求めている。事物の痕跡の感触が、その手がかりになるだろう。言語の檻の外縁に広がる、音響や匂い、質感である。

米田が述べているように、これらの感触は「原風景の層」に刻み込まれ、蓄積されていく。だが、「原風景の層」に刻み込まれた痕跡が、意味あるもの、実在のものとなるためには、それを意味あるものにする場や領域のようなものもまた、形成され、成り立っていることが求められる。マスメディアの紋切り型の議論、テレビ映像やSNSで拡散される情報を鵜呑みにするところに成り立つ議論の世界は、現実において生じ、層状に刻み込まれていく音響や匂い、質感といったものの精妙さを切り刻み、歪め、ともすれば、なかったことにしていく。現実の風景――米田が神戸の震災後一〇年の後に撮影した写真に映し出された復興後の風景——においても、たしかに生じていたはずの破壊的な出来事の痕跡が、喪失感、悲しさ、寂しさといったことともに消されてしまう（米田 二〇一二）。生きていたはずの人の個性、居場所、生きたいという思い、その痕跡が消されてしまう。風景の層に近づき、そこに痕跡を残した人や事物の存在感を自らの内的空間に招き入れ、それと対話し深く感じていくには、層に刻まれた痕跡が意味あるものとなるための場が大切である。

ガブリエルは、人だけでなく、様々な事物、さらには幻想のような様々なことが現実に存在することを、場において現れてくることとして考えている。何かが存在するとしたら、何らかの場において現れなくてはならない。ガブリエルは述べる。

> 存在することとは、意味の場において、客観的に現れることである。そこで現れることの関係性は、それを把握することのローカルであまりにも人間的な条件によって普通は制限されることがない。現れることは、あきらかに人間的なものではない。(Gabriel 2015b, p. 166)

意味の場において現れること、それは、意味のあるもの、感じられうるものとして生じ、存在するということである。逆に言うと、存在するには、意味のあるもの、感じられうるものとして生じるための場もまた存在しなくてはならない。

ガブリエルの考えでは、意味があり、感じられうるものの場は、客観的に存在する。西田の議論を踏まえるなら、場の客観性は、主観的自我を離れたものとしての客観性ということになるだろう。人間の認識を離れた、知識以前のものだが、それでも「概念的知識以前に与えられた直接経験」において、私たちはこの場を生き、感じている。[6]

人間的な関心、意味付与、公共圏での議論を離れたところに、意味の場がある。意味の場に特有の現実性は、人間的な関心の及ばないところ、思考から切断されたところに生じている。それは、はかなくて、繊細なものとして生じている。だが、人間的な関心、意味付与の起こる公共圏での議論（紋切り型で決めつけてくる単純で単調な議論）は、意味の場において存在するものが生じさせる繊細さ、精妙さをないがしろにし、切り刻む。

ガブリエルは、意味の場において現れることは、背景的な領域にとどまっている状態から脱し、前景化することだと主張する。彼が述べていることを踏まえて、さらにこう考えることもできるのではないか。意味の場において現れるものだけが存在するということは、そこに現れえないものは存在しないことにされてしまう。現れることのできないものは、存在しないもの、無である。

だが、米田のいう「原風景の層」のように、日常の生活では存在するとは思われていないものが、写真という媒質がつくりだす作品世界としての感覚的な意味の場において密（ひそ）かに現れ、存在するようになることもある。つまり、意味の場には、日常生活において成り立つものだけでなく、写真や絵画のような、無形で、不可視で、聞き取りにくいものではあっても、それでも感じられるものとして実在しているはずのものが現れるのを助けてくれる作品世界も含まれる。もちろん、日常生活において成り立つ意味の場と作品世界として成り立つ意味の場のあいだには違いがあり、そして溝がある。ゆえに、意味の場は複数的である。ガブリエルは次のように述べる。

何かがとりあえず存在するなら、無ではない何かが存在するなら、意味の場が複数存在している。まさしく一つの、唯一のものがあるのだとしたら、そのものが存在するためには、それは意味の場において現れ、何らかの背景（background）から前景化するのでなければならない。それはつまり、背景が、つまりは場がなくてはならないことを意味している。だが、場がそれ自体で存在するためには、それは別の場において現れなくてはならない。（ibid., p. 167）

ガブリエルは、存在するものを、無ではない何ものかとして捉えている。無とは、完全に何もないことを意味する。そのうえでガブリエルは、完全に何もない状態としての無とは違うものとして、存在するものを把握している。だが、ここでは、意味の場があることのおかげで無ではない何かが現れる、と言われている。それは、言い換えると、本当は何かがあるにもかかわらず、意味の場がないために前景化されず、ないことにされてしまうこともありうる、ということではないか。ガブリエルが述べていることが的確だとするなら、本当はあるのに無とされている何ものかとの境遇は、意味の場を適切に設定することで可能になる、ということになるだろう。無とされていたものが生じさせる、感覚的なものとしての意味を現れさせることができる。

ガブリエルの考えでは、意味の場は複数的である。諸々の場として形成されている。だが、諸々の場を包括する巨大な全体としての場、一枚岩の世界は存在しない（ibid., p. 159）。一枚岩的な世界は、風景の層としての意味の場が複数存在し、積み重なっていくところとしての世界とは異なっている。一枚岩的な世界は存在しない。ガブリエルはそう主張するのだが、それでも、意味の場において現実に刻まれ、感じられるものとして現れることもある諸存在は、ときに忘れられてしまう。そのとき、本当は存在しないはずの一枚岩的な世界のほうが存在すると考えられてしまう。

現実に起きていること、実際に生じたこと、忘れられかねない出来事、消され失われてしまったことの無形の痕跡——これらが存在していることの現実性を、深く、的確に感じ、受けとめていくには、一枚岩的な世界から離れ、私たちが属し、出入りする種々の世界、つまりは意味の場、感覚の場が成り立つところへと出ていくことが求められる。

主観的自我を離れたところに客観的歴史的世界が実在する、と西田幾多郎は考えた。そして、西田は、私たちは認識以前のところでこの世界を感じ、経験する、と述べている。それは、言い換えると、思考し認識する私たちがいないところとしての世界と出会うことだと言えるが、ただし、依然として、この世界は、人間も生きているところ、人間も存在しているところである。この世界において今のところは存在している人間は、死ねば灰になる無個性の物体とは異なっている。人はまだ今のところは、個性を持った実在として、世界において生きているのかもしれない。では、人の生を無個性の物体とは異なる個性あるものにするのは、いったい何なのか。西田が独特なのは、人間の個性を、主観的自我を離れたところにある世界において見定めようとする点である。そして、このスタンスは、現代の哲学における世界への関心と重なり合う。主観的自我が付与する意味としての個性とは違うものが、世界において生じている。

言い換えると、人間の思考や理解や認識枠組みとはかかわりのないところで、世界において生じるものがある、ということである。メイヤスーは、人間の思考と切断されたところとしての世界における事物と出来事を、人間の出現に先立つところに形成された化石（絶滅した恐竜が残した痕跡としての化石）との関連で考えようとするが、メイヤスーも認めているように、それは多分、そもそも思考の届かない、感触とともにある世界なのだろう。

思考とは相関しないが、それでも感触とともにある世界において、私たちは生き、存在している。そして、感触とともにある世界は、人間の思考が及ばないだけでなく、人間に従わない世界でもある。世界にある認識以前的な側面への自覚は、現代のエコロジカルな危機に促されて高まっている。人間は、人間がつくりあげた人為的諸条件だけでなく、地球的な諸条件において生きている。そして、地球的な諸条件を、人間以外の生命体と共有している。のみならず、この諸条件のもとでは、人間も他の生命体と同じようにして生きている。

だが、生きているとは、いかなることか。西田が示唆するように、それは死において明瞭になる、と考えることもできる。死において、人は、一方では無個性の物体になり、土に埋められて腐乱するか、焼かれて灰になるか、海に沈められていく。だが、他方では「歴史的実在としては各々の人が一あって二なき個性を持った実在であった」ことが、死後において、事後的に理解されることもある。無個性の物体としては把握しえないものとしての個性。これが、生きているかどうかを決する重大な要素である。だが、この個性は、主観的自我が付与する意味とは異なっているし、さらにいうと、複数の主観的自我の交流において形成される公共圏のようなものが付与する意味とも異なっている。主観的自我では解釈できない、ただ感覚されるしかないものとして、それらの個性は存在している。個性は、主観的自我とは相関しない、拡がりのある世界において生じている。

　ガブリエルのいう「意味の場」は、ただの物体以上の個性が、意味あるもの、それも感覚されうるものとして生じ、現れることの条件をめぐるものとして捉えることもできるだろう。しかしながら、ガブリエルの思考において「意味の場」は、この世におけるものとして考えられている。つまり、そこで意味あるものとして現れるのは、灰になるほかない物体以前の段階にいる、生者である。死者に成りうるものとしての生者、死の領域と隣り合わせのところにいる生者は、現れることがない。

　個性なき無個性の物体——それは生者の世界からみたら、意味なきものでしかないのだろう。それでも、たとえば米田のいう「原風景の層」は、物体としては消滅したが、それでも消えることなく刻み込まれた痕跡の層であり、そのかぎりでは、この世の向こうに去った者たちが生じさせる意味の場と考えることもできる。

第3章

人間から解放された世界

ティモシー・モートン

チャクラバルティは、「人新世の時間」で、人新世とは「人間がそこでは小さな一部でしかなく、しかも対処しようのないものにかかわる物語」だと主張する（Chakrabarty 2018a, p. 29）。人間活動の産物が積み重なるのにともなって、地球的条件が人間的尺度を離れたものへと変容しつつある。そこで人間がなおも住みつき、生きている。問われるのは、人間を一部とするものとしての世界の広大さ、その遠さ、遠のきをどう考えるのか、人間がこの世界の広大さによって条件づけられてしまっていることをどう考えたらいいのか、である。

チャクラバルティは惑星的なものの広大さを考えることが人文科学の領域内では実際は難しくなっていて禁じられているというが、この点をめぐってティモシー・モートンとライス大学で議論した、と論文の注に書かれている。たしかに、モートンは人間の尺度を超えたものとしての時空を論じ、そこに散らばる事物（ハイパーオブジェクト）のことを論じているし、おそらくはいつもそのことを考えている。

人間的尺度を超えた時空

人間的尺度を超えたものとしての時空を論じること――これは、もしかしたら、宇宙の一部として地球を捉え、そこに居住する存在として人間を捉える宇宙物理学者の視点と重なるのかもしれない。宇宙物理学者の磯部洋明（一九七七年生）は「この宇宙の誕生と進化、様々な天体とその活動を研究し、今や他の天体における生命の探査も真剣な科学的探求の対象にしようとしている天文学者の視点は、われわれにとって宇宙が何を意味するのかだけではなく、この宇宙におけるわれわれの存在の意味は何か、という視点も合わせもっている」と述べている。そのうえで、こうやって広大な時空の一部分として人間を捉えてしまうことに固有の危うさを、ハンナ・アーレント（一九〇六―七五年）の『過去と未来の間』（一九六一年）所収の「宇宙空間の制服と人間の身の丈」に言及しつつ指摘する。すなわち、アーレントの考えでは、それは「地球上の人間の活動をも一つの現象として機械論的に記述するような考え方」をもたらすからで、そうなると、人間存在を条件づける根本的なものへの感覚と思考が粗雑なものになってしまうと磯部は危惧している。そして、地球を離脱し、別の惑星に居住して、その惑星の環境条件に適応すべく遺伝子工学や人工知能の技術を駆使して人間存在そのものをつくりかえることで実現されるポストヒューマンな未来像へのアンビヴァレントな思いを吐露する（磯部 二〇一七、二二三―二二四頁）。

磯部は、かくのごとき機械論的思考を批判するためのものとして人文学的な思考との対話を求めているが、私はおそらく逆である。宇宙の一部として人間を捉えるのは、人間中心主義的な思考にとらわれている状態（哲学および人文学的思想の知的閉塞状態）を抜け出すためのヒントになるし、そのかぎりにおいて、とても重要だと考えている。人間中心主義的思考を離れるといっても、それはかならずしも人間を否定することにはならない。

モートンも、人間的尺度を超えた時空を、人工衛星のように現実に地球を離脱して、人間を超えたところに位置する観察装置によって把握されるものとは考えていないし、人間的尺度を離れた時空に思いを馳せることがただちに人間を軽んじることになるとも考えていない。モートンは、世界における広大さにある、非人間的なリアリティに着目する。そして、音楽を聴くという経験から、それを思考し語っていく。

モートンの著書『リアリスト・マジック』[1]（二〇一三年）は、P・M・ドーンの曲「Set Adrift on Memory Bliss」をめぐる回想とともに始まる。「私は、一九九二年の夏、弟のスティーブの部屋から繰り返しこの曲が流れているのを聴いていた。それとともに彼は急速に統合失調症に陥っていった」(Morton 2013a, p. 15)。

一九九一年にリリースされたこの曲では、スパンダー・バレエの曲「トゥルー」だけでなく、ジョニ・ミッチェルやア・トライブ・コールド・クエスト、そしてP・M・ドーンの曲もサンプリングされていて、これらの曲の断片が交錯するなか、一種の夢幻世界が現れてくる。これをモートンは「喪失」をめぐる作品と捉える。「それは、情感的な状態に、記憶の至福に、繰り返し迫っていく。その様は、誰かにさよならというためのようでもあるし、あるいはそれらを過ぎ去らせず、心に留めておくためのようでもある。私たちには定かではない」(ibid.)。モートンは、私との会話で、この曲の状態は「日本の伝統的な美的感覚としての幽玄に近いかもしれない」と述べていたが、たしかに、モートンのP・M・ドーン解釈は、現実において失われつつも記憶において留められ、そのことで完全に過ぎ去ることも消滅してしまうこともなく、痕跡的なものとして、現前と消滅の「あわい」においてある何ものかをめぐるものになっている。

「失われたものは、まさにここにある」、「それらはまさにここにある。色、音、言葉の諸々のかたちで、それらはなにか別のものの内側にある。ちょうどロシアのマトリョーシカ人形のように」(Morton 2013a, p. 16)。失ったものは、すぐ目の前には現れてこないというありかたで、ここにある。それは心の内側、深層、深層のさらに下層へと過ぎてしまって、だからこうやって過ぎ去ったものが残した痕跡を心に留めておかないと本当に消滅してしまうだけでなく、もとから存在しなかったし起こらなかったこととして処理されてしまうことになりかねない。喪失と消滅は違う。モートンは次のように述べる。

> 何かが過ぎ、そしてこの何かについての私の幻想も過ぎ去ってしまった。幻想を失うのは、現実を失うことより、もっと厳しいことである。だが、ここにそれが再びやってきて、絶えることなくサンプリングされるコーラスがやってくる。少なくとも、音楽がえぐり出す永遠の六分間のあいだは。あなたは、現前と現在、そして欠落と躊躇（ためら）いと喪に満ちた現在の周期的循環において、それが漂っているのを感じる。〔…〕事物は遠ざかってしまうが、それでも私たちには痕跡とサンプルと記憶が残される。これらは、感覚的に形象化された空間のなかで、互いに相互作用し、私たち自身に作用し、交錯していく。(ibid.)

何かが過ぎ去る。それは、過ぎ去る前に属し、現れることのできていた場から離脱し、外へと出ていくことでしかない。離脱した先は、別の国か、それとも地球の外側か、あるいは生の外としての死の世界か。そんなことは多分、過ぎ去った何ものかにもわからない謎で、だから本来は、残された者にとって、語ることができないだけでなく、語ってはならない何ものかでしかないのかもしれない。それでも、過ぎ去ったものたちは痕跡を残す。それは残されたものたちが内側にとどめる記憶というかたちとしてかもしれないし、あるいは、廃墟に残された諸々の事物というかたちで、そこにかつてあった生活が刻み残されていくこともあるかもしれない。

P・M・ドーンの音楽世界は、過ぎ去ったものが残した痕跡と記憶で形づくられた幻想の世界である。幻想であるかぎり、それは資本主義的生産諸関係の現実を隠蔽する上部構造の産物でしかないと考える人もいるのかもしれないが、もしもそういう人がいたら、そう語ること自体、過ぎ去ったものが残す痕跡の繊細さを踏みにじる暴力的な単純化でしかない、と私はいいたい。重要なのは、P・M・ドーンの作品世界が、聴く人が自らの心身を没入させ、自らにかかわる喪失の経験の意味を問い直すことを可能にする、一種のメディウムとして成立していることである。過ぎ去ったものが残した痕跡が、私たちが生きているところとしての世界における「本当のこと（True）」に迫る手がかりになる。

形なき形

米田知子の感覚は、現在において生きている人間の日常世界の外縁部に向けられている。そこには、かつて誰かに生きられていたところとしての場所の痕跡が漂っている。そこは、生きられていたところとしての場所の崩壊と消滅の跡地であるかぎり、人間世界と完全に無関係ではない。だが、そこは、もはや生きられているところとして保たれることなく崩壊してしまったところである。ゆえに、人間世界を囲い込む境界の内部にはもはや属していない。

歴史的実在の痕跡としての風景の層は、〈いま・ここにいる人間のためだけ〉の世界に安住できている人たちから断絶している。それゆえ、恣意的な解釈や単純化を許さない、決然とした客観性として、不慣れで、わからないものとして存在している。撮影という行為はここにおいて生じ、写真という作品が、ここに形をなしていく。

米田の感覚と実践は、西田幾多郎が東洋文化の根底にあると考える「形なきものの形を見、声なきものの声を聞くといったようなもの」に導かれていると考えることもできる。西田は、それを「形相を有となし形成を善とする」西洋文化に対置する（西田 一九八七b、三六頁）。世界全体が西洋化し、生活習慣も生活空間のあり方も西洋的な論理に従って構築されていく現在では、西田の言葉は、明瞭な形態で構築された状態において世界が成り立っているという想定を問いに付すものとして読まれることになるだろう。形相を有とすることとは、現在の安定を主目的とする現実設定にふさわしい形で、世界が構築され、生活のためのゾーンが作られていることである。形なきものの存在は、ないことにされる。過去に生じたことも、未来において生じうることも、それが現在の安定を脅かしうるものであるかぎり、ないことにされるか、いずれ過ぎ去るものとみなされてしまう。

それでも、形なきものは、日常世界の外縁において、日常世界から引き退くところにおいて、現実に存在している。それが形なきものの存在を形にしていくところに生じる作品において明瞭になる。つまり、形なきものは、現在の日常世界の基本設定のもとでは現れてこないし感じられることもないだけであって、本当は形なきあり方で、日常世界の外縁において実在している。

問題なのは、形なきものの存在を無化することで成り立っている日常世界の思想的基本設定がエコロジカルな危機をはじめとする現実世界の変転のせいで次第に維持しがたくなってきていて、その維持しがたさゆえに、そこに生きている人たちのなかにも不安を感じる人が存在し始めたことである。私たちの存在の支えとしての世界が、もしかしたら壊れてしまうのではないか。この不安が何であるかを安易に納得させようとする既存の言葉や単純なイデオロギーに抵抗するためにも、新しい現実設定のための思考と言葉が求められる。そのためには、とにかくそこを感じ、そこで起こりつつあることを静かに受けとめ、ゆっくり考えることが大切である。米田の風景写真は、戦争や震災など、過去に起きたはずの崩壊以後を写したものだが、にもかかわらず、そこには未来における崩壊の予兆とでもいうべきものが漂っていると私は思う。

存在の不安

二〇一七年に刊行された著書『破壊しに、と彼女たちは言う』で、長谷川祐子（一九五七年生）は述べている。「人々は分断と不確かさの時代にあって、存在の不安の中にいる」。存在の不安は、「近代の個人主義の中の不安」、つまりはかつて保たれていた前近代的共同体から離れてしまったことにともなう疎外感としての不安とは異なっている。長谷川は「洞窟の中で獣に怯えて暮らし、水の欠如のために何日もオアシスを探し求めて彷徨うような生の不安のレベルに近い」という（長谷川 二〇一七、二四二頁）。

存在の不安——それは、洞窟という暗がりの世界に身をおくために生じてくる。私が何者であるかわからないことゆえの不安ではない。私がどこにいるのかわからない、私がいるところが何なのかがわからない。私が知っていたはずの世界が、突如として不慣れで不気味なものに感じられてしまう。

それゆえに、不安が生じる。洞窟のなかでは、何と出会うかわからない。私をとりまくところにおいて存在するものが何であるかがわからない。私が存在しているところにおいて、何がいるのか、何が起こるのか、わからない。信用できるのか、突如牙をむいて襲いかかってくるのか。私がいるところは、私が生きていくことの支えになりうるのかどうかもわからない。水も、食料もあるのかわからない。ウイルスが蔓延しているかもしれない。あるいは、突然壊れてしまうかもしれない。

存在の不安は、私が存在しているところとしての世界の不確かさ、危うさ、はかなさ、または脆さへの感覚から生じるものを意味していると思われる。そのかぎりでは、まっとうな感覚である。ところで、長谷川は、存在の不安の要因として、クラウドスペース、インターネットの形成がもたらす「クラウド・エコシステム」に言及している。

> ここに出現したクラウド・エコシステムがもたらす差異は、従来のものとあまりに異なる。断絶、あるいは文字どおり「クラウディな（曇った）」不確かさ、曖昧さの中で、人々は、このあらたなエコシステムと、自身の身体とが連なる既存の「地面についた世界」、記憶と歴史に満たされ（ときに汚染された）世界と、どのように折り合いをつけていけばいいのか、試行錯誤している。（同頁）

私たちは、自分が生きているところを、従来の世界への感覚にそぐわないというだけでなく、思考から切り離されたものとして感じるようになっている。たしかに、そこにはインターネットの形成発展が深く関係しているのだろう。すなわち、オンラインの世界の成立であり、そこへの没入である。

これに対して、私は存在の不安が現実の環境の変化に促されていると主張したい。オンラインの世界の外に広がる「地面についた世界」のほうもじつは変化しつつあり、その変化ゆえに存在の不安が高まっているのではないか。二酸化炭素排出、宅地造成、海の埋め立て、ダム建設、都市開発は、地球に対して人間が刻みつけてきた痕跡の蓄積といえるが、その過程で、温暖化、海洋汚染、土砂崩れ、豪雨後の家屋浸水といった事態が発生している。人間生活の条件における、根本的な変化である。

ダノウスキーとヴィヴェイロス・デ・カストロは、『世界の終わり』で、この現実の変化は近代社会を支える思想的設定の変更を迫るものでもある、と主張している。

> 近代の社会的・宇宙論的地層の美しさが、私たちのまさに目の前で破裂し始めている。その大規模な建造物は、ただその一階部分（経済）を支えにして建っていることができるとかつては考えられていたが、私たちが建造物そのものの土台〔一階部分のさらに下にある〕のことを忘れていたということが明らかになろうとしている。最終審級における決定がじつは最終的なものではないかもしれないことが知れわたるとき、パニックが発生する。(Danowski and Viveiros De Castro 2017, p. 15)

ここでは、近代的な思想の到達点の一つであるマルクス主義のドグマ的形態が無効になる、と言われている。かつてカール・マルクス（一八一八—八三年）は、『経済学批判』（一八五九年）で、政治や文化、宗教といった領域をイデオロギー的な上部構造と捉え、これに対するものとして、経済的な生産様式による最終審級としての下部構造が存在する、と主張した。そして、生産様式が資本主義的なものとして成立していることを問題化し、これを崩壊させ、共産主義的な生産様式を現実のものとすることで、現実の人間生活の悲惨は消滅し、皆が尊厳のある生活を送ることができる、という見通しを示した。

　だが、温暖化や海洋汚染にともなって、経済的な下部構造のさらなる基底にあるものによって人間生活が支えられていることが明らかになろうとしている。それに対する反動として、マルクス主義的な思考と言葉そのものが、現実世界から遊離した新型イデオロギーになろうとしている。世界の成り立ちにかかわる不安が何であるかは、経済的な下部構造を考えるだけではわからない。問われているのは、経済的な下部構造をも規定する、さらなる根底である。この根底を、人間が存在している、まさにそのところとして考えることが求められている。

存在の脆さ、場所への問い

　本当のところ、私は、どこかにいることで、まともに、現実に生きていることができる。だが、私がいるところは、不安定で、脆くなろうとしている。重要なのは、この脆さを私が生きているところで感じるだけでなく、脆さが何において、いかにして生じているかを問うことである。そうすることで、この脆くてはかない状態にあるものとしての土台を人間にも住むことのできる場所として構築するための原理への問いが可能になる。これらが、現代の思想の重要課題になりつつある。

それは、人間から離れたところにあるものとして、人間がいるところ、世界、あるいは場所を考えていくことである。世界は人間から離れたところにあるが、ただの空白ではなく、現実として、生きることを支える現実の場所として、とりまくものとしての環境として、存在している。

人間の想念から離れているが人間がいないのではないところとして人間存在の条件を問うとしたら、それはいかなる問いになるか。人間的尺度を離れたところにあるものとして人間が生きているところを考えるとしたら、それはいかなるものとして描かれることになるか――この課題に先鞭をつけたのが、モートンの『自然なきエコロジー』(二〇〇七年)だった。モートンが独自なのは、エコロジカルな変化の時代において、あらためて場所を問おうとしたからである。モートンは述べる。「新しい世界観の提案は、人間がいかにして自らの場所を経験するかという問題にかかわる」(Morton 2007, p. 2/四―五頁)。

だが、モートンのいう場所は、資本主義開発のもとで都市景観が均質化されていくなかで失われてしまったものとしての場所を意味していない。失われた故郷のようなものを意味しない。モートンのブログでは、『自然なきエコロジー』は「非-場(non-place)」をめぐる考察として書かれた、と述べられている。非-場とは何か。その例として、モートンはコロラド州で遭遇した「必要以上に巨大なショッピングモールの駐車場の凄まじい規模」に言及する。それを彼は「空虚な空間」と言い表す(Morton 2011)。つまり、モートンの場所への問いの起点には、とても巨大だが空虚な空間における経験がある。

これを読んだとき、私は大阪の北摂地方に広がっている風景を思い出した。千里中央駅から万博記念公園を結ぶモノレールの車窓からみえるのは巨大な団地群で、さらにモノレールの下方には、大規模な自動車道路が立体化されて建造されている。地上の自動車道路と、その下方に走る自動車道路がある。ここには、大地がえぐり取られた感じと、えぐられた表層が道路で覆われている感じが生じている。つまり、現実に山が造成されているが、その造成されたという現実の痕跡が、道路と芝生で隠されている。そこに漂うのは、自動車走行以外の行為の余地を許さないというだけでなく、自動車走行以外には何も起こらず、ゆえに何らの痕跡も刻み込まれえないという意味での空虚さである。そこでは、自動車がたてる音以外、一切が沈黙している。

この状況は、もしかしたら自動車走行以外のものの絶滅後の世界だったのかもしれない。その観点からいうと、一九七〇年の大阪万博跡地にできた万博記念公園に残された太陽の塔は、絶滅の空間において、なおも生きていこうとする意志の発露のようにも思われるが、周囲の空虚な空間ゆえに、この意志は響かず、それ自体空疎に空回りしながら無駄に咆哮しているようにも思われてしまう。

モートンのいう場所への問いは、失われたものを懐古し、その奪還を試みるためのものではなく、まさに鳴り響いている、雰囲気、密度、質感、リズム、調子といった、音楽的とでもいうべきものをめぐっている。モートンが言うには、「そこは出来事の起こる余地のある雰囲気または領域であり、密度があって、具現化されていて、緊張の度合いが高められている雰囲気である」（Morton 2007, p. 93／一八二頁）。すなわち、場所は何かが起ころうとしているところとして考えられているが、そこでは人間の行為、思考、記憶といったものも、起こりうる何ものかとして、潜在的に存在している。

そうなると、場所を問うことは、実際に私が身を定め、歩き、ぼんやり考えごとをしている、まさにそのところにある潜在性の質感のあり方を問うことだということになるだろう。

それは、私たちが没入しているところへの問い、「ここ」への問いにならざるを得ない。この問いは、場所の根拠にかかわる。だが、モートンの問いは、人間が実際に生活するということに先立つものとしての場所、人間が不在であっても生じうるところとしての場所の質感に向けられている。人間が自分のための占有物として囲い込むことで成立する定まったものとして場所を考えるのではない。そう考えるのは誤りだとモートンはいう。


明確な境界をそなえた実体的な「事物」としての場所という考えが、それ自体誤りであったとしたら、どうだろうか。すなわち、そもそも場所のようなものがないというのではなく、それを間違ったところで探していたのだとしたら、どうだろうか。(ibid., p. 170／三二九頁)

モートンの考えでは、グローバリゼーションに対抗するローカルな場所という概念も、基本的なところで間違っている。ローカルな拠点を形成し、そこに立てこもることは、場所の固定化に帰着していく。「私たち」のためのものとして占有されたローカルな場所は、自閉的になり、そこに「私たち」ならざるものが入り込む余地はなくなっていく。

場所とは、いかなるものか。場所は、まずは「ここ」である。自分がまさにいるところ、自分をとりまくものとしての「ここ」である。「ここ」は、かならずしも大自然の草原や、古くからある民家でなくていい。大都市の雑居ビルの一室でもいいし、郊外住宅地のワンルームマンションの一室でもいい。モートンがいうには、大切なのは、「ここ」に心身の感覚をむけ、没頭することである。自分をとりまく「周囲」のところがどうなっているかを、心身でしっかり感じていくことである。モートンはいう。「私たちはここへとあまりにも没頭するので、それはつねに崩壊し消滅していく。それは私たちが探すところにはない。ここは問いである」(ibid., p. 175／三三八頁)。

モートンは、「ここ」において、つまりは自分が存在しているところとしての「ここ」において、没頭し、沈潜せよ、と呼びかける。「ここ」は、家や部屋、街区といった具合に、何重もの障壁で仕切られ、囲い込まれることで成立していると考えることもできるが、「ここ」において没頭し、沈潜するうちに、定められ、枠付けられたあり方で保持されている「ここ」としての場所の境界が崩壊し、消滅し、そこに身をおく心身が解放され、広大な世界の一部になっていくように感じられてくる。

モートンは「環境は直接的には示すことのできないもののことである」という。前景にあるものとしては語り得ず、背景的なもの、深層にあるものとして、場所はある。あるいは、「ここ」への沈潜において、私をとりまくもの、何かが今にも起ころうとしている潜在性の感覚が生じるところとしての場所が発見される、ということもできるだろう。そして、「ここ」は、ただ区切られた複数の諸部分空間のなかの一つであるだけでなく、「ここ」をも、さらには壁を隔てて隣り合う「あちら」をも超えた拡がりのなかに存在しうるところでもある。「ここ」をも含む拡がりは、「ここ」から逃れたところ、つまりは「ここ」の外部にではなく、私が存在しているところとしての「ここ」の下層、深みにおいて発見される。モートンは、ジャック・デリダ（一九三〇―二〇〇四年）の議論に触れながら、次のように述べている。

ナルシシズムからの本当の逃走は、そこへとより深く潜り込むことであり、可能なかぎり多くの他の存在者を含みこむほどにまで、それを（デリダの言葉でいうならば）拡張することだろう。身体と（複数の）心に取り憑かれている物質的な世界のジレンマを強調することで、私たちはエコシステムを、要するに相互連関であるエコシステムを気遣うことになる。（ibid., p. 184／三五六頁）

場所は、定まらぬところとして存在する。その定まらなさは、一つには何かが起こりうるための余地を意味している。それは未来へと開かれていることを意味しているともいえるだろう。だが、その何かが「ここ」で起こるのだとしても、ただ「ここ」だけで起こるのではない。「ここ」をもとりまく拡がりの領域としての世界において、それは起こる。拡がりの領域としての世界は、私にはわからない複数の心が住みつくところだが、モートンは、これらとの相互連関の起こる領域が「ここ」の深みにおいて見出されてくる、と主張する。相互連関の領域への沈潜は、定まった日常生活領域にとらわれている状態を外れ、外縁に広がる広大な未知の空間に分け入ることを意味している。

そこは、現在優勢な世界像にとらわれているのではみえてこないところ、現在の世界像の外縁にある定かならざるものの領域、つまりは未来の感覚に触れていくことの可能なミステリアスな領域である。予見ができないだけでなく不確定でもあるという意味で、「よくわからないもの」、「感じることのできないもの」に触れていくことの可能な場所である。「ここ」の深みへと沈潜することは、「ここ」の定まらなさ、わからなさを受け入れていくことである。それは、一方で、私たちが住みつく世界がいつ壊れてもおかしくない状況になっていることを受け入れることであり、そのかぎりでは不安をともなう。だが、他方では、場所の不確定な脆さへと身を開くことは、現在の定まった現実を外れ、超えたところに向かうことでもある。

人間的尺度を外れていく――チェルフィッチュの『消しゴム山』をめぐって

長谷川祐子の指摘にもあったように、私がいるところは「クラウド・エコシステム」の「クラウディな（曇った）」不確かさ、曖昧さによって浸透されていく。だが、他方で、私が身をおく「地面についた世界」のほうも、その地球的な条件の水準において、不確定で、わからないものへと変わりつつある。私がいるところである現実の世界は、温暖化や海面上昇、食糧危機といった状況とともに、そこにいる人間にとって、安全でなく、不安定なものへと変容しつつある。

チャクラバルティは、存在の不安の理由について次のようにいう。すなわち、地理学者のナイジェル・クラークが述べているように、私たちは「想像可能な人間の現前を徹底的に超えた時間と空間につねに接触することになる」が、それは「人間がただの部分、それも小さな部分でしかない物語」のなかで生きていることを意味している（Chakrabarty 2018a, p. 29）。しかも、繰り返しになるが、人間を超えた拡がりは、安定的なものとして長らく考えられてきた「地面についた世界」にかかわる状況として起きている。

モートンは、人間を超えたものとしての世界についての考察を「ハイパーオブジェクト」という考えとともに展開している。「ハイパーオブジェクト」はモートンの造語で、「人間とのかかわりにおいて、時間と空間のなかで大規模に撒き散らされている事物」を意味する。具体的には、発泡スチロールやプルトニウムなど、人間の時間感覚と相関しないところに存在し、とどまり続ける事物のことだ。

ありふれた発泡スチロールから恐るべきプルトニウムに至る物質は、現在の社会的・生物的な形態より遥かに長く存続するだろう。私たちは、何百年、何千年ものことを語っている。今から五〇〇年後にも、コップやテイクアウトに使われる箱のようなスチロール製の物体は、まだ残っているだろう。一〇〇〇年前には、ストーンヘンジは存在しなかった。(Morton 2010, p. 130)

重要なのは、これらの物体が、大規模に撒き散らされ、世界に存在してしまっているということである。人間がすべて消滅しても、プルトニウムは地球に残るかもしれない。人間がいてもいなくても、プルトニウムは存在している。そのようなハイパーオブジェクトが、人間の周囲に漂いながら散らばり、人間に近づき、接触し、引っ付いてくる。

存在の不安の根底には、地面についた世界がじつは人間世界として自己完結しえず、人間の尺度を超えたものにとりまかれて浸透されていたということへの気づきがある。世界の変容は、人間のあり方を脆くしていく。それにもかかわらず、世界の変容は見過ごされている。世界の危機的な変容が続くなら、そこはもしかしたら、本当に人間不在の世界になるかもしれない。二〇一〇年代半ば以降、夏の温度は上昇しているし、豪雨の被害は世界化している。日本でも、二〇一八年の豪雨では、西日本で町が崩壊した。二〇一九年にも、台風と豪雨が発生した。二〇一一年の大地震と津波も、地面についた世界が人間的な尺度を超えた拡がりのなかにあることに気づかせ、そのなかでの人間の脆さを自覚させた。

岡田利規（一九七三年生）が主宰する劇団「チェルフィッチュ」の作品『消しゴム山』は、二〇一九年一〇月五日と六日に、京都市のロームシアターで上演された。上演に先立って公開された情報によると、この作品の主題は「人間のスケールを脱する演劇」である。演劇は通常、台本をふまえてセリフを発しパフォーマンスする俳優とそれを観る観客とのかかわりのなかで展開される、と考えられている。そのかぎりでは、演劇は、俳優と観客の相互作用のなかで上演され、一つの虚構的世界を共有していくものでしかない。「人間のスケールを脱する演劇」で意図されていることの一つは、この俳優と観客の相互作用そのものを抜け出ることだと思われる。実際、岡田自身、『消しゴム山』の台本の冒頭で「観客に向かって語られるわけではない演劇」と書いている。哲学における「間主観性」に類する思想の流行や、建築における地域主義、アートにおける関係性の美学の流行とのアナロジーで考えるなら、岡田もまた、間主観性や関係性の内部に作品が閉じ込められてしまう動向から抜け出ることを考えて、そのようなことを言っている、と考えられる。

だが、「人間のスケールを脱する」というのは、ただ観客に対して無関心になることを意味しない。この試みは、チェルフィッチュを始めて二〇年になり円熟期をむかえようとしている岡田自身の演劇実践と思考の深化から出てきたものであるのは当然だが、人間のスケールを脱する演劇というのは、二〇一一年の震災後に（建築やアート、演劇などでも）影響力をもちつつある思想潮流（ブルーノ・ラトゥール、グレアム・ハーマン、ティモシー・モートンなど）に対する岡田自身の応答として受けとめることもできる。『消しゴム山』は、演劇の世界にとどまらない、広い意味での思想の世界にとっても重大な挑戦になりうるものと考えられる。

モートンは、エコロジカルな目覚めの時代において、アートは人間を超えたところ――「グローバルな温暖化、風、水、太陽光、放射能といった人間以外の実体」――からの情報を得てくる「悪魔的な力」として考えられることになると主張しているが、もしこれが正しいとするなら、岡田のいう「人間のスケールを脱する演劇」では、ただ俳優と観客の相互作用を脱するだけでなく、演劇作品そのものの前提にある人間的な世界そのものをも抜け出るものになることもまた求められることになる。

岡田が『消しゴム山』で問うのは、「人間的な世界」である。あるいは、世界が人間的な尺度に従うものとして想像されてしまうことの前提にある思想的設定への問い直しといってもいい。作品上演に先立って公表された「作品概要」では、次のように述べられている。

東日本大震災で大きな被害を受けた岩手県陸前高田市では、失われた住民の暮らしを取り戻すべく、津波被害を防ぐ高台の造成工事が行われている。もとの地面から嵩上げされる高さは一〇メートル以上。そのための土砂は、周辺の山をその原型を留めないほど大きく切り崩すことでまかなわれている。

岡田利規は、二〇一七年に同地を訪れ、驚異的な速度で人工的に作り変えられる風景を目の当たりにしたことをきっかけに、「人間的尺度」を疑う新作の構想を始めた。（岡田 二〇一九）

人間的尺度を疑う新作とは何か。岡田自身は「人とモノが主従関係ではなく、限りなくフラットな関係性で存在するような世界を演劇によって生み出すこと」だと述べている。それは、演劇という作品を、人間的尺度を超えた世界にむけて拡散することだと考えることもできるし、あるいは、人間的尺度とは違う、人間ならざるものの尺度を演劇で示してしまうことだと考えることもできる。岡田が独自なのは、作品の着想を陸前高田市の人工的な復興状況から得ている点である。「作品概要」から、私は以下のようなことを読み解いた。

(1)岡田は、震災がもたらした被害そのものではなく、震災後の復興に衝撃を受けている。言い換えると、地震と津波という自然災害による破壊ではなく、破壊後の復興の帰結としての状況に衝撃を受けている。すなわち、高台の造成工事と、それがもたらす自然に対する破壊の規模に、衝撃を受けている。

(2)ゆえに、岡田のいう「人間的尺度」への疑問は、人間生活の世界が「高台の造成工事」として行われていることにかかわる。そこは、もとの地面から一〇メートル上方に向けて離脱したところに建造されている。それは未来において起こりうる津波への対策である。つまり、一〇メートルの離脱は、地面についた人間世界を脅かしかねない事態としての津波への対策である。もちろん、この対策は人間生活の世界の維持と存続という目的から導き出されたものだ。岡田はこの決定を導いた尺度そのものに疑問を感じている。

(3)結果として、人間以外のものは人間的尺度に従わされていくことになる。人間生活のための世界の安全性、安定性が優先されるが、そこでは、二〇一一年の震災で明瞭になった、人間を離れた世界の威力が遠ざけられていく。人間生活のための世界がそれをとりまく広大な世界のごく一部でしかないことへの自覚自体も忘れられ、それにともなって、自分たちの存在そのものの脆さの現実も忘れられていく。

とはいえ、『消しゴム山』は、震災以後の復興を直接描くのではない。主題は、人間的尺度を超えた世界である。重要なのは、むしろ、陸前高田市で現実化した復興の支えになっている人間的尺度を抜け出ていって別の尺度を提示していくことである。それは、人間的尺度から諸々のモノが解き放たれ、その拡がりにおいて人間もまた拡散していくような世界を成り立たせる尺度、つまりはノン・ヒューマンな尺度である。

人間的尺度から解放された事物の世界

二〇一九年八月一九日の午後、私はチェルフィッチュの稽古場にいた。地下鉄有楽町線の江戸川橋駅近くにある、山吹ファクトリーである。Ａ４用紙に印刷された『消しゴム山』の未完成の台本を手渡された私は、岡田と俳優たちが台本を読むのを聴き、演技をするのを目にしながら、人間的尺度を離れた演劇が現れてくるかもしれない、まさしくその場に身をおいていた。

『消しゴム山』では、モノにまつわるエピソードが語られていく。洗濯機やソファ、コインランドリーなど、ありふれた日用品としてのモノである。人間的尺度からのモノの離脱は日常的で身近なところで始まる、ということなのだろう。

冒頭では、事前の前触れのようなものもなく洗濯機が突然壊れたと語られる。

そいつが壊れた朝ですが、その朝わたしはくつろいでいました。無印のソファで。ご存知でしょうか。無印のソファ。ソファと言ってもいわゆる形のかっちり固定してるソファじゃない巨大なクッションみたいな、中にビーズが詰まってて、形状がそこに身を沈めると沈めた身体の重みでいい具合に変化して身体を包んでくれるような支えてくれるような具合に変化するソファで。

このソファに座って健康雑誌を読んでいるとき、洗濯機が壊れる。「突然、バンッ、ていう風船の割れたときのような、いやそれよりももっと物騒な、ちょっとした爆発のような変な音が家の中のどこかからしました。続けてその同じところから、カラカラカラーッ、という音が聞こえてきました。そしてその音はずっと続いた」。洗濯機が壊れる。これは、日常世界を成り立たせている道具連関の一部が壊れることを意味している。人間にとっては日常生活領域の部分的破綻として経験され、修理中はコインランドリーに行かざるを得なくなる。この破綻は、身体を支え包み込んでくれるソファに座ってくつろぐことのできた日常世界の安寧とコントラストを成している。岡田は、ここでのソファを、ブライアン・イーノ（一九四八年生）のアンビエント・ミュージックのようなものとして考えている。聴く人にとって心地よく、自分をとりまくものとしての世界を満たす雑音のような他性を忘却させる音楽のようなものとしてのソファである。そこにいる人間にとって洗濯機の破綻は、この安寧を破る、異物的なものの侵入として経験されることになる。

だが、破綻そのものは一瞬で、その後のカラカラカラーッの音が、洗濯機の破綻はただその作動が停止しただけのことで、きわめて静かにモノがバラバラになることの序曲でしかないことを示唆している。つまり、洗濯機の破綻は、洗濯機にとっては別に物騒でもなんでもない。洗濯機として円滑に作動している全体としての構築物から、まずはその一部としての部品――たとえばバックフィルター――が逃れ、つづけて残りの諸部分もまたバラバラの部分へと解体していくことでしかない。

洗濯機の故障。それは、洗濯機の不活動化を意味している。そのとき、諸部分は洗濯機という全体から解放されていく。重要な要素としてのバックフィルターは、カラカラカラーッと音を発する。この音は、洗濯機の部品が転がるときの音だが、ここにこそ、モートンのいう「事物の現実性」を感じとることができる。モートンは次のように述べている。

あらゆる事物の痕跡としてのあらゆる美的な痕跡は、欠如とともに燦（きら）めいている。感覚的なも

のとしての事物は、事物が消えていくことへの哀歌（エレジー）である。(Morton 2013a, p. 18)

洗濯機から逃れてしまった部品の音。これを、洗濯機そのものにかつて存在した、服を洗って脱水する（ドラム式なら乾燥まで）役割が失われてしまった後に残された部品が発する音として、解釈することもできるだろう。カラカラカラーッの音は、目で見ることはできず、ただ聴かれうるだけの、感覚されるしかないものだといえるが、これはかつて存在していた洗濯機の消滅に向けられた哀歌として実在しているのである。実際、爆発のような音の後のカラカラカラーッには、曰く言い難い悲哀感がある。

だが、モートンの考えでは、悲哀とともにある事物の現実感は「語られることなく、閉じ込められていて、遠のいていて、秘密になっている」(ibid., p. 17)。ゆえに、事物の現実を感じていくには、事物へと能動的に働きかけるのではなく、事物が生じさせる力へと心身を委ねることが求められる。それをモートンはチューニングといい、「アートはチューニングだ」という。

稽古中、岡田はいくつもの印象的な言葉を発したが、とりわけ記憶に刻まれたのは、冒頭部分を言葉にしている役者に向けられた「モノとしてのソファが、言葉を引きずり出すようにして言葉を発する」という発言である。ソファは、舞台装置としては存在せず、役者の想像のなかにしか存在しない。そのかぎりでは幻想であり、役者が語ることでソファの現実性は演劇というフィクショナルな空間世界に出現することになるが、岡田は、ソファを出現させる役者の語りにかんして、役者の主体が発するのではなく、むしろソファというモノが引きずり出していくという。ソファと役者のあいだには、間主観的な相互行為の空間などなく、能動と受動といった相互的関係も存在しない。

岡田の考えを注釈すると、次のようになる——ソファにある、包んで支えてくれる性質は、役者の語りによって直接構築されるのではない。ソファのほうが、役者から言葉を引きずり出す。そのかぎりでは、ソファは役者に従属しないし、かといって役者と相互的に関係しているのでもない。ソファは、役者によって引きずり出される何ものかを、その内に秘めている。この何ものかは、役者がソファへと的確にチューニングすることで、はじめて引きずり出されることになるだろう。

人間的尺度が優勢な世界では、ものにある隠された性質は圧殺されてしまう。しかも、この圧殺は、事物に及ぶだけではない。ものが秘めている何ものかへの人間からのチューニングもまた圧殺されてしまう。つまり、人間的尺度にあわせて構築された世界では、モノだけでなく人間もまた、その内にある能力を発揮できない状態にある。ゆえに、人間的尺度からのモノの解放は、人間自身の解放と連動していくことになる。

〈いま・ここにいる人間だけ〉の世界からの人間の解放はいかにして可能か

『消しゴム山』を、世界の現実をめぐる作品として考えることができるだろう。それも、ものが人間的尺度から外れて溢れ散乱することで活気づくことになる世界である。それは第一に、舞台で行われる演劇である。俳優が舞台で体を動かし、セリフを語り、パフォーマンスする。そのかぎりにおいては、パフォーミングアートとしての演劇作品である。ただし、この作品は、金氏徹平のコラージュ作品でもある。バレーボール、テニスボール、猫の写真、金槌など、日常世界から収集された事物のなかで、俳優たちのパフォーマンスの諸々の断片もまた、集められ、連関していく。俳優の身体、声は、俳優のキャラクターや劇作品を成立させる台本とのかかわりを離れ、事物とのかかわりのなかで発され、定まっていく。いずれ、テクストという限定的な形式は、事物のなかで定まる行為と言葉の劇的世界から取り除かれてしまうことになるかもしれない。

第一部では、役者たちが、まずは洗濯機が壊れたことを話す。洗濯機の故障。それは洗濯機の不活動化を意味している。そのとき、諸部分は、洗濯機という全体から解放されていく。重要な要素としてのバックフィルターは、カラカラカラーッと音を発する。洗濯機は壊れた。だが、作中人物は、壊れた洗濯機とともに生きることを選ぶ。壊れた洗濯機に向けて自分のことを語る。それも、どこか狂気じみた語りで、身振りで、自分のことを語る。語ったところで、そこに意思疎通が発生するとは思えない。壊れた洗濯機に何を語ったところで、意味のある応答が返ってくるとは思えない。それでも、俳優は洗濯機に語る。壊れていなかったときには関心を向けることのなかった洗濯機。それが壊れてはじめて、洗濯機の存在、つまりは人間ならざるものとしての存在に気づき、愛が生じる。

第二部では、「タイムマシンはある」というセリフとともに、未来からの移民に選挙権を与えるべきか、という論争が繰り広げられる。それを認めることは、〈いま・ここにいる人間だけ〉でできている現世の成り立ちそのものを壊しかねない、もっともラディカルな決定になりうる。そのことの恐怖が、俳優たちの会話を空疎にし、平坦にしていく。

第三部では、観客はいなくても世界はあるということをめぐるいくつものセリフ（「地球の変化には、観客がいなかった」）が録音された音声として流されるなか、舞台上で役者たちは、撒き散らされた事物を移動させ、組み合わせていく。舞台上、誰もいなくなり、ただ音声だけが流されるなか、事物をただ見ることを強いられる観客は、次第に、そこには金氏徹平の作品が完成していたことに気づくだろう。そこには、ただ寂寞（じゃくまく）とした感じが残されている。人間世界の終わりのあとの状況である。「いま・ここにいる人間のためだけではない演劇」という岡田のねらいが、かくして現実化する。『消しゴム山』は、〈いま・ここにいて生きている人間だけ〉でできている世界から事物が解放されていくとはいかなることかを体感させてくれた。人間がいてもいなくても存在している世界において、人間が人間ならざるものと共に自らの生をつくっていくというのはいかなることかを垣間見せてくれた。だが、そこではおそらく、事物だけでなく人間もまた解放されていくのではないか。そこに成り立つ集合性、つまりは共存のための場のようなものがありうるとしたら、それは何だろうか。「いま・ここにいる人間のためだけではない演劇」では、事物だけでなく、人間もまた問われることになるのではないか。自分たちの生きているところが、人間的な尺度を外れたところにある世界に浸透されていくプロセスを生きることになる人間はどうなるのかということも、さらに問われることになるのではないか。

世界崩壊と内的空間の歪み

地震、豪雨、爆弾の破裂、空爆の瞬間、定まった世界は崩壊する。橋、道路、線路、空港、美術館、街路樹、ベンチ、書店に並べられた本、喫茶店で本を読む人たち、公園の遊具というように、一定のあり方で構築され、形成されていた世界の状態そのものが、崩壊する。本棚が倒れていて、本が床に落ち、散乱している。崩壊は喪失であり、数々の痕跡が散らばるなか、人は放心するだろう。といっても、この崩壊の渦中にある人間は、それを等しくは経験しない。命を落とし、崩壊したということを経験できず、語ることもできずに消えた人たちがいる。そして、残された人たちがいる。だが、残された人たちのあいだにも溝が生じ、別れてしまう。一方には、崩壊したということを積極的に忘れ、なかったことにして、壊れたことなどあたかもなかった状況に戻ろうとする人たちがいて、他方には、崩壊とともに過ぎ去ったものと残されて散らばってしまったものの只中にとどまり、放心し、苛(さいな)まれ、立ち直ることができず、いや、もしかしたら立ち直ることがどういうことなのかもわからずに生きている人がいる。

世界の崩壊——それは事物の散乱のことであり、その散乱のなかでは、人間もまた散乱する。散乱状況では、橋桁の崩落やビルの倒壊と同じように、人間身体もまた、事物として壊れる。たとえ身体的毀損を逃れることができたとしても、そこにいたことで、心は密かに壊れているかもしれない。心の壊れた人間には、平常に、円滑に作動する日常世界が、むしろ嘘のことだと感じられてしまう。本当は、すべて壊れている。

壊れた渦中にいる人は、そこをいかにして経験するか。モートンは述べている。

　壊れた。突如として空気が割れたグラスにみたされる。ガラスの破片は真新しい事物で、粉々になったワイングラスから生まれた。これらの事物は私の五官を襲撃し、もしも注意を払わなければ目を傷つけることになるかもしれない。ガラスの破片が散らばっている。何が起きているのか。どれほど多くのグラスが割れているのか。いかにして起きたのか。私は、始まりの深部を、歪像として経験する。それは私の認知的・心理的・哲学的な空間を歪ませる。事物の誕生は、その周囲にある諸々の事物の変形である。事物は現実における亀裂のようにして現れる。この歪みは感覚的な領域で起こるが、新しさと驚きを必ずやもたらすことゆえに、それは現実を、ほのかに歪ませて現す。始まりは開かれていて、不穏で、至福で、恐ろしい。(Morton 2013a, p. 124)

モートンはまず、壊れるということを、始まりとして捉える。始まるとは、何かが新しく起こり、出現することであり、だからそれは何よりもまず「不確か」で、不気味で、何が始まったのかよくわからないという不安をともなう。だが、始まりは、始まる前に成り立っていた状況そのものの崩壊であり、だからそのなかにいる者にとって始まりは何が起きたかわからないというだけでなく、そこにいることがはたして安全かどうかもわからない、もしかしたら、そこにいることがそのまま死への道行きとなる危うい状況なのかもしれない。ゆえに、壊れてしまった状況は、そこにいる者の認知を歪ませ、その内部空間を歪ませる。

モートンは、エマニュエル・レヴィナス(一九〇六―一九九五年)の哲学に言及し、この歪みにかかわることとして、レヴィナス哲学におけるトラウマの問題に言及する。「他なるものに触発されてしまったものの、無秩序的なトラウマ」(ibid., p. 127)。ただあるということ、その騒々しさ、「あなたを包み込むごちゃごちゃの環境性」。壊れる。ワイングラスが割れ、床に散らばる。本も散らばる。本棚が倒れている。壊れた状況の渦中について思い出そうにも、たしかに、何が起きているのかも、いかにして起きたのかも、よくわからない。たとえばワイングラスが割れていて、それが床に散らばっている。それを見つつ、散らばるガラス片のせいで怪我しないかを冷静に見定めている自分をどこか離れたところから見て放心しているもう一人の自分を思い出すことはできるのだが、そこで体が現実に感じているのは本当のところ「何かが強烈に起きている」ということであって、その何ものかの強烈さを、モートンはレヴィナスを読みつつ、「ただ一つの実体、現実の他なるもの、奇妙なものが、私のいわゆる世界の一貫性を掘り崩す」と表現する。[2] だが、放心状態にいる私には、この何ものかの強烈さを本当のこととして感じることができておらず、だから実際に何かがあったということについて、どうしても思い出すことができない。

私の心、内的空間、認知は、壊れることが起きている状況において本当のところ生じている世界の一貫性の崩壊とともに、歪んでしまったのか。モートンは、崩壊において起きている何ごとかは「認知的・心理的・哲学的空間」の歪みゆえに歪像となって現れてしまうというが、彼の考えでは、歪像はかならずしも偽りを意味せず、現実を歪ませて現すものである、とも言われている。たしかに、内的空間の歪みは、現実に起きた崩壊状況をまともに受けとめたがゆえに生じたことで、そのかぎりにおいて、歪んだ内的空間が生じさせる歪像は、世界の一貫性の崩壊をまともに受けとめて現したものということになる。ならば、崩壊をなかったことにせず、そこで起きたことを本当の始まりにするには、歪像の現実性を消さず、それをもたらしたトラウマ的経験を手放さず、トラウマのもとに留まらなければならない、ということになる。それは恐怖であるのは確かだが、はたして至福に通じるかどうか――私にはわからない。

第4章

「人間以後」の哲学

グレアム・ハーマン

二〇一九年五月、京都の鹿ヶ谷にある家を訪問したときのことである。白川通から鹿ヶ谷通へ、さらに哲学の道を越えてつづく坂道をひとしきり登ったところに、その家はあった。二階建てで、一階には書庫やいい感じのくつろぎスペースがあり、二階には広い空間が一室あって、テーブルやソファ、机があり、横にバスルームなどがあったが、私が一番心地よく思ったのは、広い空間の横に設えられていたバルコニーであった。バルコニーだから屋外で、しかも二階である。地上から離れていて、柵がないから落ちないように注意しなくてはならない。怖いといえば怖い。だが、この空間は、室内の広い空間と、家の東の山奥に広がっている暗闇の深層空間の接点にあり、夜中には室内の光と外の拡がりの闇が混じり合う空間として捉えることも可能である。その日、この家には何人もの人が来ていて、たくさんの人と話したようにも思うし、とても楽しかったのは確かなのだが、それだけでなく私は、ただたくさんの人たちとの会話世界に属していたというだけでなく、室内のとても美的に洗練された空間が外に広がるとりまく世界の深層性に浸されていくのを感じて、自分もまた、何かこの大きな世界の一部分として生かされていることの確かさを感じたのだった。

私はそのとき、モートンが『ハイパーオブジェクト』で提示した「諸物の美的特性のあいだの相互的諸関係で成り立つ空間」(Morton 2013b, p. 1) の存在を感じたのだと思う。モートンの議論は、私が感じたものを言語化するのにふさわしいものとして、私の言葉の体系のなかに存在していたといえるが、ではいったいモートンの議論はいかにしてこの世に存在するようになったのか。それはハーマンの哲学 (「オブジェクト指向存在論 (Object Oriented Ontology)」(=OOO)) との出会いからだった。

モートンは「雨だれが頭上に落ちるのを感じるとき、何らかの意味であなたは気候を経験している。とりわけ、グローバルな温暖化として知られる気候変動を経験している。だが、あなたはグローバルな温暖化そのものを経験しているのではない」と述べているが、この見解をレヴィ・ブライアントは次のように注解する。

モートンのＯＯＯとの出会いは、「気候」のようなものの奇妙さから生じている。それは時間と空間において大規模に撒き散らされているが、あたかもどこにでもありながらどこにもないとでもいうかのようだ。(Bryant 2010)

ハーマンのＯＯＯの基本は、『道具存在』(二〇〇二年)と『ゲリラ形而上学』(二〇〇五年)に示されているが、私が考えてみたいのは、ハーマンがモートンに与えた影響である。それはおそらく、モートンが『自然なきエコロジー』(二〇〇七年)で提示した「アンビエント」の概念をいっそう精緻にしていくうえで重要なものだったと思われる。つまり、私たちを「とりまくもの」とは何かを問うためのものとして、モートンはハーマンを読解したのではないか。

公共圏から遠く離れて

ハーマンのＯＯＯで問われているのは、世界そのものである。それは人間の意識から遠ざかっていくかぎりにおいて、暗く、不明瞭で、不確かだが、それでも世界は存在しないのではない。世界は、人間が住みつくところでありながらダークで遠のくところを隠し持つ領域として、現実に存在している。
ハーマンは、世界における事物が人間の意識からいかにして離れているかを問うことを重視する。事物が人間から離れ、暗くて隠れた領域に撤退していることが問題だというのだが、これをどう考えたらいいのか。この問題を考えることが、いったい何になるのか。

私は「暗くて隠れた領域」という言葉に着目したい。というのも、この言葉は、人の日常的な意識によっては接近できない世界の隠された側面を示唆するもののように思われるからだ。私の考えでは、現実世界が日常的な人間の意識から離れたものであるといっても、それはかならずしも人間不在の世界を主張することにはならない。

ハーマンの哲学は、私たちがいるところとしての世界を、私たちから遠のいていく、単純な説明を逃れてしまうものとして考えることを可能にする。私たちが日常的な意識において抱く世界像（表象されるものとしての世界）では対処できない広大さ、非人間的な深さと暗さを湛えた他なるものとして世界の現実を考えることを可能にする。だが、たとえ世界が私たちの日常意識から遠のくところにあるとしても、私たちは依然として、世界のうちに捉えられ、世界に住みついている。私たち人間が住みつくところとしての世界を、暗くて意識から遠のくものとして描き出すことが求められている。

ブライアントが述べているように、OOOの核心にあるのは、個々人の心と相関するものとして世界を考える立場からの転換だと考えることもできる。それは、世界そのもののようなものは存在せず、ただ私たち人間に対して現れてくるものでしかないと考える相関主義の立場からの転換である。従来は、人間の心に抱かれる想念と相関するものとして世界は存在すると考えられてきたが、OOO

が探求するのは「人間から離れている世界とは何かという問い」(Bryant 2011 p. 39)である。これは、世界を社会構造や権力関係といった人間中心主義的な構築物とは独立に存在するものとして考えることを意味している。

世界を、人間の心や社会構造から独立していて、それを超えたところに広がるものでありながら、人間をも含めた様々なものが存在し生きているところとして考えることができるとするなら、それを人間から離れたものと考えるだけでは十分ではない。重要なのは、人間が知っているかどうかとはかかわりなく存在している世界がどのようなものであるかを問うことであり、そこで人間がいかにして生きることになるかを問うことである。

繰り返しになるが、私がハーマンを重視するのは、彼が意識から離れたところにおける暗さと深層性に生きていることのリアリティの根拠を求めようとしているからである。情報過剰状態にある公共圏は、現実に敏感になり、それを深く洞察するのを妨げる。過剰な情報、過剰な言葉、過剰な意見と解釈で塗り込められたマスメディアや書籍、雑誌、SNSは、人の思考を単純にし、浅薄にし、現実世界への感度を鈍らせる。

もちろん、情報過剰の状態にとらわれることで思考と感覚が駄目になるという問題は、今に始まったことではない。それでも、情報過多の状態を表層的な公共圏と捉え、深みと暗闇に逃れていこうとする試みは、これまではあまりなかったように思われる。だが、ハーマンが私淑したアルフォンソ・リンギス(一九三三年生)のように、私たちが生きているところの媒質性を深層的なものと捉えたうえで思考する人もいる。リンギスの考えでは、私たちは感覚的なエレメントにとりまかれ、浸透されている。感覚的なエレメントは、客観的な数値データのようなものとは違って、「表層もなければ境界もない深層として」そこに存在する（Lingis 1998, p. 13）。

ハーマンは、リンギスの影響下にある。公共圏の喧騒を逃れたところにそれとは別の出会いと相互触発の領域を見出して言葉にしていくというのは、あきらかに、リンギスが試みた深層への探求と軌跡を同じくしている。それは、公共圏が現実の諸問題を的確に把握せずに歪めてしまうことを問題化し、いっそうの透明性と可視性を高めていくのを求めるのとは異なっている。リンギスとハーマンは、情報過剰の公共圏にとらわれていることそのものを問題化している。透明性と可視性を高めることとは、いっそうの情報過剰状態に帰結し、そこにとらわれた思考と感覚をいっそう鈍化させることになるだろう。重要なのは、公共圏では無言になること、沈黙することである。情報過剰の公共圏を逃れたところに現実感覚の根拠を見定め、そこであらためて別の思考を試みることのほうが、今は大切である。

感覚的な媒質の客体性

ハーマンの考えでは、人間の意識と言語から遠のく世界は、ものの世界である。だが、ものの世界は孤独の世界である。そこで私は、私をとりまく事物とのかかわりから遮断されている。のみならず、他人とのかかわりからも遮断されている。そこでは、私が意識し考えることとはかかわりなく、独立に、ものも他人も存在している。ハーマンは述べる。「ものは、すべてのものからの完全なる孤立において存在し、遮断された私的真空状態に包み込まれている」。そういいながら、ハーマンは続

け て次のようにも述べる。「あきらかにこれは、世界についての半分の真実以上のなにものでもない。もしもこれだけの話なら、何事も起こらないし、あらゆるものがそれ自身の内密な宇宙において安らいでいて、他の何ものをも触発せず、触発されることもない」(Harman 2005, p. 1)。

ハーマンは、人もものも孤立しているが、それでも互いに触発されうるところとして、つまりは相互的触発が起こりうるところとして、世界を考えようとしている。彼の考えでは「ものにはなお、公共的な生活がある」。孤立した私的真空状態にあるものがなおも出会いうるところとしての公共的生活とは何か——この問いが、ハーマンの『ゲリラ形而上学』を貫いている。

ただし、繰り返しになるが、ハーマンの思考の深層には、この世は「互いに接触することのない亡霊的な現実の世界」であり、「互いに交わることのない空無でできた捉えどころのない実体で満たされた宇宙」である、という感覚がある。それゆえ、公共的な生活がありうるとしても、そこでは「理性的合意」や「共同行為」のようなものが実質として存在することにはならない。むしろ、基本は空無の世界である。空無だが、それでもなお、ものは相互作用する。

ハーマンは、この空無の世界を「感覚的なエーテル」と表現している。それは「実体なき質感ででき たエーテル」であり、「そこであらゆるものがとり返しのつかないほどにまでなくなっているところとしての感覚的な世界」である。ものはその存在感を失っているが、それでも、その質感が残されている。そこは、実体はないが感覚できる何ものかでできた世界で、ものは、たがいに触れ合うことができる。のみならず、そこにおいて、ものは生きている。すなわち、「これらのものは不在ではあっても、にもかかわらず生はともかくもはっきりしている」(ibid., p. 76)。

ハーマンの関心の起点には、フッサールやハイデガー、メルロ＝ポンティやレヴィナスの哲学の読解がある。つまり、「事象そのものへ」思考を向けていく現象学の試みを最大限尊重しつつ、そこにおいては「私たちの経験の感覚的な媒質が何であるかがはっきりしない」と主張する。

私たちは、それがものでできているのではないことを知っている。というのも、ものはつねに視界から遠のき、感覚できるものとして現前していないからだ。だが、それは客体性をまとうのに先立つ生のデータでできているのでもない。なぜなら、そのようなデータは客体的な形態を帯びることなくしては存在しないからだ。(ibid., p. 33)

重要なのは、ハーマンが「私たちの経験」にかかわるものとして感覚的な媒質を考えようとしていることである。つまり、ハーマンは、私たちがいるところとしての世界を人間の意識や尺度から離れたところにあるものとして捉えることを試みつつも、経験という、きわめて人間的なものへの関心を保持している。だが、彼のいう「感覚的な媒質」は、経験する人間に先立つところに形成され、成立している。人間の意識や尺度と相関せず、それらを離れたところにおいて、ものが現れ感覚されるようになるところとして存在している。そして、この媒質は、ものそのものからも区別される。感覚的な媒質は、ものがその音響性や色調といった質感を発するところである。音響性や色調、匂いは、数値的に、つまりは客観的にデータとして把握しコンピューターに入力可能なものとは違う、もっとなまめかしいもののことだが、このなまめかしさとして存在する質感の漂うところとして、ハーマンのいう「感覚的な媒質」はある。

ハーマンは、数値的データの客観性とは違うものとして、感覚的なものの漂いの媒質にある客体性を考えている。データ的に把握されるデジタルな現実も、それがものとして、つまりは客体性のあるものとして実在し、質感を漂わせるものとして存在しないかぎり、たんなるヴァーチャル・リアリティでしかない。

感覚的な媒質における相互作用

感覚的な媒質をめぐるハーマンの思考の背景には、リンギスの哲学がある。ハーマン自身、「私たちの生が留まるところとしての質感および信号の半透明の霧」をめぐるものとしての自らの哲学の試みがリンギスの影響下にあることを認めている。リンギスは、メルロ＝ポンティとレヴィナスの影響のもと、信頼、共同体、身体をめぐる思考を積み重ねてきた哲学者である。ハーマンはリンギスのもとで学んだので、影響を受けるのは当然といえば当然である。実際、『ゲリラ形而上学』でも、感覚的な媒質を論じた第五章はリンギス論として書かれている。だから、感覚的な媒質をめぐるハーマンの考察を、リンギスの読解からの展開として捉えることができる。さらにいうと、ハーマンをリンギスと関連させて読むことで、ハーマンの読みの独自性を捉えることが可能になるが、それは言い換えると、リンギスが思考したにもかかわらずハーマンの議論では十分に展開されていないところを見定めることでもあり、そうすることで、感覚的な媒質をめぐる議論をさらに展開していくことができるようになるだろう。

ハーマンは、リンギスの哲学を全体論への批判として読解する。すなわち、世界は一つの全体であり、諸部分がそこに従属し統合されるという考え方への批判である。そして、ハーマンは、リンギスの全体論批判が人間中心主義的な思考に対する批判でもあると考える。すなわち、リンギスのいう全体論的な世界とは「あらゆるものを自己中心的な全体に統合していく個々の人間的生の実践的な世界」である(Harman 2005, p. 66)。

リンギスの哲学において、世界は人間が抱く計画図や見取り図から解放される。それでも、リンギスは、私たちが現実に身を置き、そして動くだけでなく事物が存在しているところでもある世界が存在しないとまでは言わない。ハーマンは、リンギスの考える世界を次のようなものとして言い表す。「私たちが知っている世界は、けっして完全ではなく、むしろ事物そのものにある揺らめく深みに向けて私たちを召喚する」(ibid.)。実際、リンギスは「私たちは事物のただなかで自分自身になり、自分の自己同一性を保つことになる」(Lingis 1998, p. 19) と述べている。事物に誘われ、魅惑されていくなか、私は自分を発見し自分になる。だが、ハーマンによると、リンギスは世界をたんなる事物の集積とは異なるものとして考えている。それはむしろ「定まることのない何ものか」でできている。

この定まることのない何ものかを、ハーマンは「感覚的な媒質」または「感覚的なエーテル」と表現する。そして、この媒質をコミュニケーション的なものとして考えていく。ハーマンは述べる。

私たちは直接ものを知っているのではなく、ただ風のようなエーテルやプラズマのことを知っている。ものにある生き生きとした性質がそこに放たれていくが、それだけが触知できる環境を

形成する。(Harman 2005, p. 68)

ハーマンのいう感覚的な媒質は、接触や触発の起こるところであり、そのかぎりにおいて、コミュニケーション的な媒質である。だが、ここに生じるコミュニケーションは言語的ではない。解釈や了解にまでは至らない、前言語的で感覚的なコミュニケーションである。重要なのは、媒質にある触知可能性であり、環境性である。それをハーマンは「もの性のない質感の感覚的な領域」(ibid., p. 69) と言い表す。視覚化されることのないエーテルやプラズマのようなものに存在感を認めるのは難しいのかもしれない。それでも、感覚的な領域として生じているかぎり、この媒質は現実に存在する。

感覚的な媒質には、日常的な人間の意識において描き出される言語的なイメージとしては把握できない実在性がある。そして、事物は、統合型の全体性としての関係性の網の目から離れたところに実在するが、無関係でバラバラなあり方において散在するのではない。「ものの相互的干渉は、媒質をつうじて可能になる」(ibid., p. 70)。

感覚的な媒質をつうじたコミュニケーションと言語的コミュニケーションはどう違うのか。言語的コミュニケーションの領域から離れたところにあるといわれる感覚的な媒質は、言語的コミュニケーションの領域といかなる関係にあるのか。

感覚的な媒質の深層性

ハーマンは、ものが言語から離れ、意識からも離れているという考えから、孤立や私的真空状態のような表現をもちいて、孤立の起きているところを「暗闇の下層領域（dark subterranean realm）」と言い表している。つまり、彼のいう暗黒とは、互いに出会えず触れ合うことのできない状態ゆえに生じるもののことであり、彼が「ものの深み」というときも、触れ得ず届かぬところのことを意味しているといえるだろう。

だが、ハーマンのいう暗黒の下層性は、たんなる孤立や出会えなさだけでなく、感覚的な媒質そのものの暗さと深層性をも意味しているのではないか。モートンは、ハーマンが発見したものを、唯物論や観念論をはじめとする諸々の「イズム」に苛まれてきた哲学の表層の下部にある「存在論的な深み」と言い表すが（Morton 2013a, p. 222）、ハーマンが関心を向ける感覚的な媒質も、深みにおけるものとして捉えることができるのではないか。つまり、言語的コミュニケーションの領域の表層性に対して、感覚的な媒質は深層的なものとして存在するのではないか。

感覚的媒質の深層性は、まさにリンギスの著書で論じられていることでもあった。リンギスは次のように述べている。

> 近代の認識論は、言葉の公共的な存在を、感覚の私的で言葉にしにくい存在と対立させてきた。他人の心は、ただそれ自身にのみアクセスできる状態と意図で構成されるだろう。他人の身体は、外からの観察と検視で徹底的に調査されるが、外からの観察者自身の心的状態以外のものの証拠を見出すことにはならない。だが、身体の動きにおける感覚と官能性のうねりは、身体があることの証拠そのものである。〔…〕混雑したバスの暗がりのなか、私たちは隣の乗客の身体

の温かみを感じ、その内にかすかに生じる揺れを感じる。私たちがこの感触と接するのは、私たちが目にする可視的な表面や耳にする音を通じてではないし、この感触にかんして、他人もまた可視的な表面を見たり音を聞いたりしているという証拠を見出すこともない。他人が見たり聞いたりするのが何であるかについてのなんとなく定まった感触がなくても、私たちは自分自身のすぐそばにある暗闇における他人の感覚の感触に気づいている。(Lingis 1998, p. 20)

公共的な現実として定まることのない共通世界がある――そう考えることは、現実の出来事は公共圏で流通する言葉によって可視化されることではじめて共有され議論されるようになる、という近代的な思想に対する批判でもある。公共的な言葉にならないものは、私的で、感覚的で、それゆえにはかなく、暗闇の領域に属している、それゆえに意味をなさず、シェアされることのないものだと考えられてきた。[1] ところが、リンギスは、他人の心や身体について語られる言葉は、たとえその言葉が公共的に流通可能なものとして用いられていても、結局は言葉を発する人の主観や思い込みを逃れ得ず、それゆえ心や身体状態の他性の深みに達することなく外側にとどまっている、と主張する。リンギスは、言葉にされることのない温かみや揺れなど、身体の深みに発する感覚的なものを重視し、それこそが人々の集まり、つまりはコレクティヴのリアリティの支えになりうるという。

それは気配や雰囲気のようなものであり、空気感、感触など、いろいろと表現できるだろう。リンギスは、この感触を、身体のあいだに存在し共有される空間において放たれ、感覚されるようになる何ものかにかかわるものと考える。つまり、感覚的なものではあるが、かならずしも「私」に限定されるものではなく、他人の心身が発する喜びや痛みの気持ちであって、この気持ちが、私だけでない様々な人が存在しているところとしての感覚的な媒質をつうじて伝わり、受けとめられ、シェアされていく。といっても、それは、いわゆる相互理解につながらなくてもいい。というより、一緒にいるということにおいて、そもそも相互理解や理性的合意が、そんなに大切だろうか。

公共圏でシェアされる言説的な世界とは異なるところに、公共的な現実として定まることのない共通世界が、おそらくは存在する。それは公共圏の明るみの表層から逃れた、感覚的な深みの領域として存在する。だが、感覚的なものでありながら、それは人間の生を支える媒質として実在する。リンギスは述べる。「生きているということは、光を享受し、地面の支えを享受することで、開かれた路と空気の浮力を享受することである」(ibid., p. 17)。光といっても、公共圏に現れる可視化された現実の透明性とは異なっている。

一九八〇年代から京都を拠点に活躍してきたアーティストコレクティヴであるダムタイプの作品《OR》でパフォーマーの身体を明滅させる光のことを考えてみたらいい。それは、身体が発する気分(そこには喜びだけでなく傷つけられることに対する恐怖や不安も含まれる)の個別的な物質性を明瞭にする光である。パフォーマンスの空間のなかで、強力な光のもと、パフォーマーの身体の一瞬の気分は、まさにその一瞬性における独自性をとどめたまま、痕跡として焼き付けられ、刻み込まれる。あるいは、それは情報過多の公共圏を逃れたところに存在している暗がりの共通世界の感覚性を意識化させる光だということもできるかもしれない。公共圏を満たす刺激的だが表層的な明るみの光とは対極にある、静寂の光である。それは、身体を透明にし、そして心身の状態をも透明にする、「浄化」として使われている。とても簡素なものとして人間の条件をえぐり出し、むき出しにするものとして存在しているのかもしれない。

間客体的空間としての感覚的な媒質

人間世界の現実にかかわる思想的設定の崩壊が進みつつある。これは、主義主張や論争に先立つところにあるはずの、感覚的な領域にかかわる事態といえるだろう。崩壊は、ハーマンがリンギスを読むなかで発見した「感覚的な媒質」にまでおよぶ事態として起こっているし、経験されてもいる。情報過多の公共圏にとらわれているかぎり、この感覚的な媒質における崩壊と変容を感じることはできないし、考えることもできない。

モートンも、ハーマンのいう感覚的な媒質に着目し、現実世界の思想的設定の変更を試みている。だが、モートンは、感覚的な媒質における事物を、定まることのないものとして考える。そこで事物は、はかなく、崩壊および消滅と隣り合わせの状態で存在している。ゆえに、感覚的な媒質において存在するのは、同一的なものとして確定された事物ではない。そこでは、崩壊し、定まらぬ状態において、なおも完全には無となることなく、かろうじて痕跡をとどめる事物が発する感覚的なものが存在している。

モートンは述べる。「あらゆる美的な名残、事物のあらゆる痕跡は、欠如とともに煌めいている。感覚されるものは、消えていく事物への哀歌である」（Morton 2013a, p. 18）。現実世界で、その崩壊と破綻とともに生じてしまった感覚的なものは、それだけでは、意味あるもの、現実のものとしての存在感を保つことができない。感覚的なものが存在するための場や領域が、現実において形成され、維持され、共有されていくことが求められる。それが、感覚的な媒質である。

脆さは、感覚的な実在である。主観的自我、概念的知識を離れたところに存在するが、それでも脆さの発生は、人間そのもの、または人間が確かに存在していた場所にかかわるものである。モートンは、そこは「諸々の幻想の場所」、それも「リアルな幻想」の場所であるという。幻想は、主観的自我において生じるのではない。主観的自我から離れたところにある、感覚的な媒質として開かれた場所、定まることのない場所において生じている。

公共圏の主要な構成要素であるマスメディアでは覆い尽くせないものとして、幻想の場所は存在する。幻想の場所で、感じられるものとして、ひそかに、ささやかに生じるものがある。だが、それは公共圏ではかき消されてしまう。なかったことにされてしまう。生じている感覚的なものへと近づき、そこに心身を浸し、受けとめていくことを妨げる、硬直的で情報過多で空虚な公共圏がある。この公共圏を破壊するのはきわめてむずかしいが、それでも出ていくことはできる。そこで私たちは、エコロジカルな危機のもと、崩壊しつつある現実世界と出会うことになるだろう。

モートンは述べている。「エコロジカルな危機は、いかにすべてが相互依存的になっているかを、私たちに自覚させる」(Morton 2010, p. 1)。エコロジカルとは、つまり、すべてが相互依存的になり相互連関するということである。だが、この相互連関の網の目は、定まった一つの全体へと統合されることがない。広大な網の目は、私たちの固定的な概念的把握を逃れ、全体化されえないものとして、曖昧に漂っている。

ハーマンは、モートンのエコロジカルな相互連関を、弱い連関という意味で読解し、マヌエル・デランダのいう「フラット存在論」と同一のものとして把握する。すなわち、ハーマンの考えでは、それは「すべてのものが単一のネットワークに帰属し、心と物質、精神的なものと身体的なものの二元論的な分離がそこではなくなっていくこと」を意味している（Harman 2012, p. 17）。

私の考えは若干異なる。モートンの相互連関は、フラットなネットワークというよりはむしろ、人間もそこに属し他の諸存在と連関していくところでありながら、人間の把握を超えた広大なものとして考えられているのではないか。相互連関には、単一のネットワークのような実体などない。むしろ、それは諸々の存在物が出会うところに生じてくる、空間的な領域である。

そこは諸事物が実在するところとしての空間である。事物が感覚的な質感を生じさせ、その存在感を現実の痕跡として刻みつけていくところとしての空間である。だが、そこにおいて事物は、消滅しつつも幻想としてとどまりながら、その存在感を生じさせていく。

モートンは、共存の条件としての相互連関のモデルを提示する。そこで事物は周囲をとりまくものとしての環境から独立した自律的なものとして存在するのではない。モートンは「網の目は、明白で実際に存在している（独立していて固定的な）事物を含まない」（Morton 2010, p. 33）と述べている。ハーマンの議論との関係でいうと、モートンは相互連関において事物は独立性と固定性を剝ぎ取られていくと考えているともいえるだろう。そこで事物は確定された自律性を失い、相互に触れ合っていく。これは、複数の事物を隔てる境界が消滅していくことを意味するものといえるかもしれない。すなわち、事物のフラットな連関である。

実際、続けてモートンは、相互依存について考えることは「内と外のあいだの厳格で狭い境界という形而上学的な幻想」の解体を意味する、と述べている。これだけを読めば、モートンのいう相互連関は、様々な事物のフラットで平滑的な連関としての弱いつながりのようなものと考えることもできるだろう。

だが、私は、モートンの議論を、事物の相互連関が起こるところとしての領域のようなものがあることを示唆するものとして読解したい。この領域において、独立性と固定性から解き放たれた事物が互いに出会い触れ合うといったことが現実に生じる。それは、ただ平滑でフラットな領域におけるつながりといったものとは異なっている。ハーマンが述べているように、それはエーテルのような、感覚的なものとして存在する、と考えることができるのではないか。このエーテルには実在の事物性はないが、現実の事物が実際に相互作用するための条件として、現実に存在する。

モートンは「共有される感覚空間」とでもいうべきものがあるといい、それを「間客体的空間(the space of interobjectivity)」と表現している。

この共有される空間は、広大で非局在的な形状の空間である。人間の主観性のような現象——すなわち「間主観性の」現象——は、間客体的空間の小さな部分を占める。あらゆる間客体的な現象は、1+nの現実のものを要請する。これは、あらゆる間客体的なシステムにおいて、少なくとも一つの現実のものが遠のいているということを意味している。(Morton 2013a, p. 71)

間客体的空間は、人間の主観性を離れたところにおいて広がっている。モートンは、間主観的領域は間客体的空間のなかの一部でしかないというが、これを踏まえるなら、間客体的空間は、間主観性から独立した、他なる領域として維持されていると考えることもできるだろう。そして、間客体的空間は、ものの「あいだ」にある空間である。だが、「少なくとも一つの現実のものが遠のいている」という一文で言われていることを踏まえるなら、間客体的空間における「あいだ」は、共有されるところというより、むしろ何かが遠のき、離れてしまうところに生じるもののことだと考えられる。あるいは、遠のき離れてしまう何ものかが、それでも消えずにとどまっている状態で生じるのが、この間客体的空間である、ということもできるのではないか。そう考えるなら、モートンのいう「１＋ｎの現実のもの」とは、ｎ個のものとして定まらず、常に一つの余剰を抱えて存在しているもののことであり、この余剰ゆえに、間客体的空間を満たす感覚的媒質が生じていることになるだろう。

つまり、この空間は、人間および人間ならざるものの諸々の行為が現実世界において残す痕跡の積み重なりが起こるところとしての空間である。モートンは述べる。

> 現実のあらゆる出来事は、あるものがその痕跡を別のものに残していく刻印のようなものである。間客体的空間は、すべてのこれらの痕跡の交差の総体でしかない。それは、その定義において非局在的であり、時間において融解している。(ibid.)

間客体的に共有される空間において交差し相互連関するのは、定まっていて固定的な事物ではない。それは事物が刻みつけていく痕跡である。つまり、間客体的空間は、たとえ刻み込みが起こるところであっても、諸事物の総和としての全体によっては充たされることがない。エーテル的なものとして、間客体的な共有空間として保たれている。そのことで、刻まれたものの残存を許容し、それが相互連関し、混じり合うことの領域となる。

間客体的空間における痕跡

間客体的空間が実在している。主観的自我から独立した、他なる領域として実在している。人間もここに住みついている。ゆえに、人間もまた、諸々の事物と同じくそこに浸されているだけでなく、何かが起こるとき、まさにこの起こるということのなかに飲み込まれ、影響されていくことになる。

この空間において何かが生じるとき、いかにしてそれは起こるか。モートンは、そこでは「つねに諸部分が全体に数でまさる」と言う。つまり、この空間においては、諸部分を一つの全体としてまとめることはできない。モートンは数学的な言葉をもちいて説明しているが、重要なのは、彼の議論が数学的に正しいかどうかではない。むしろ、一つの全体に統合されずバラバラに現れてくる状態が、ある種の不穏で詩的な感覚とともに述べられていることのほうが重要である。モートンは述べる。「これらの諸部分は、総体性を欠いている。それはちょうど、ホラー映画のなかにでてくる、空洞のなかを不規則に動き回る手足のようなものだ」(Morton 2013a, p. 137)。ゾンビ映画では、人間が突如ゾンビに変容する。ゾンビは突然、食器棚から現れることもあるだろう。人間の世界は知らぬ間にゾンビ的なものに侵入され、次第にゾンビ化していくが、人間世界の崩壊は、全体としてのゾンビ集団に一挙に殲滅されるわけではない。ゾンビ空間は、一つの全体として存在するのではない。諸部分としてのゾンビ的なものが、人間世界において、局所的に現れ、そこを侵食し、密かに、だが確実に掘り崩していく。

もちろん、ゾンビはあくまでも喩えである。とはいえ、私たちが生きている世界が、総体としてのまとまりを欠いた、つまりは壊れた状態で成り立っていると考えるのであれば、そこはゾンビのような、不確かで不気味というだけでなく、殺傷力のあるものが存在し現れてくるところと化していることを言おうとする文章として読み解くこともできる。

モートンは、エコロジカルな思考は共存をめぐる思考であるという。ただし、彼の考えでは、それは「可能なかぎり広く、そして深く考えられている」ものとしての共存である。それは「岩やプルトニウム、二酸化炭素のような実体をも内包できる」ものとしての共存を意味する（ibid., p. 160）。つまり、広くて深い共存は、自らの生存基盤を掘り崩し、自らの存在をいっそう脆くしていくものをも受け入れることを意味している。さらにいうと、自分が住みつく世界が、自らの存在を脆くしていくものもまた存在してしまっているところになっていることをも認め、受け入れることを意味している。

「如何なる人も死んで灰となってしまえば、物体としては何（ど）の人も変らぬかも知れない、しかし歴史的実在としては各々の人が一あって二なき個性を有（も）った実在であったということができる」（西田 一九八七ａ、一七頁）と西田幾多郎は述べているが、これを踏まえるなら、次のように言うことができる――世界において人は、かたや物体として存在し、生き延びようとするのだが、それでもいずれ消滅していく。灰になるか、孤独に腐乱するかもしれないが、いずれの場合にも消滅していく。だが、他方では、世界において人生は、物体としての消滅の後、何かを残していく。それは、概念的知識や日常意識とは相関しないところとしての世界において「たしかに生きていた」ことそのものとしかいいようがない。おそらく、モートンのいう「欠如とともに煌めく痕跡」は、西田が言わんとすることと重なっている。それは人生が個性的なものとして生きられていたことの名残のことだが、重要なのは、物体としては消滅しても、その痕跡は日常意識の届かないところに現実のこととして刻まれていて、その刻み込みこそが、現在生きる人間が定めた尺度を超えた拡がりとしての世界を形成している、ということである。

もとはといえば、私たちが存在し生きていることを意味あるものにしてくれる土台としての世界の現実を問うことが、本書の課題であった。その発端で、私は「私たちがいて、私たちが生きているところとしての世界は私たちを離れ超えてしまっているが、それでも私たちは世界において生きている」と書いていたが、そう書きながら、私は、私たちが生きているところとしての世界そのものが生きていけなくなるところへと変わりつつあるのではないか、とも思っていた。

私たちが住むのは、無数の痕跡が刻み込まれた地上としての世界である。痕跡のなかには、高速道路や高層ビルのように巨大で有形の事物もあれば、無形ではあっても、ただ聴かれうるものとしてとどまる、記憶のようなものもある。痕跡を地上に刻み、積み重ねていくことは、人間が生きることの条件をつくり、人間が存在することの本当らしさを感覚的な水準で実現していくことを意味する。

だが、他方では、人間の痕跡の蓄積は地球的条件の改変でもあり、グローバルな温暖化に顕著な、人間の生存条件の危機を招来している。しかも、プルトニウムやプラスチック、二酸化炭素のような事物は、人間の思考や意識とは切断されたところにおいて蓄積され、人間の生存条件を確実に掘り崩している。

新たな問題が人間の思想的課題として提起された、と考えることもできるだろう。チャクラバルティは、この問題は「世界を経験する私たちの能力を逃れる普遍性」にかかわるものだと主張する。それは「共有される破局感覚から生じる普遍性」である。だが、チャクラバルティも述べているように、ここで見出されつつある普遍性は、特殊なものを包括していく全体としての普遍性ではない。人間の存在を成り立たせている土台そのものの崩壊の危機が普遍的課題として共有されるようになる、ということである（Chakrabarty 2009, p. 222）。

だが、崩壊の危機は、人間の理解や予見能力を超えている。さらにいうと、現在においては、崩壊の危機は現実化しておらず、あくまでも潜勢的な状態にある。それゆえ、破局感覚が共有されることなどありえず、それを普遍的なものと考えるのは誤りである、と言う人もいるかもしれない。しかし、実際に全面的破局が起こるかどうかはともかく、私たちが住むこの世界が、その身体と連なる感覚的領域における痕跡の蓄積ゆえに、そのあり方を変えてしまっていることは確実である。

痕跡の蓄積が生存の条件を掘り崩しているのは確実だが、この現実を否定せず、そのうえでなお共に生きていくことの条件をつくるのだとしたら、そこで根拠となるのは、この世界に刻まれた痕跡そのものだと考えたほうがいい。痕跡は地球的条件に刻み込まれた人間の現実の所業だが、他方で、それは物体としては消えてしまった人間や事物もまたこの世界で生きていたことの確かさをとどめたところでもある。

人間の生の証としての痕跡は、事物としては消えてしまったものが残した何ものかのことである。直接触れることも、目にすることもできないが、それでも、残り香のようなものとして感じられるしかないものとして、実在している。だが、痕跡は、現在において成り立っている日常的な世界のなかでは、外縁に追いやられている。日常的な意識の及ばないところ、不可知的なところにあると言ってもいい。日常的な世界と、ものの消滅が起きている世界のあいだには、溝のようなものがある。消滅したものの世界の存在は、それが残した痕跡をつうじて、日常的な世界において感じられることになるだろう。痕跡は、日常世界とそれをとりまく世界を隔てる、外縁的な溝において存在する。ここに不可知なものがある。

モートンが示唆するように、世界における不可知的なところには、カントのいう「物自体」がある。そこでは「どうにもならないほどにまであちらに行ってしまった事物が、露(あら)わに、だが謎めいて現れてくるところとして、存在する」(Morton 2013a, p. 226)。

痕跡を、溝の向こうに行ってしまって不在になったもの——そこにはいくつもの人生も含まれるだろう——が溝のこちら側に残したものとして考えることもできる。日常世界のこちら側と向こう側の世界のあいだには、溝がある。溝で隔てられている。そして、こちら側に身を置く人間には、向こう側の世界のことを認識できない。そのあいだには隔たりがある。それゆえ、向こう側の世界に行ってしまったものや人が残した痕跡は、溝の向こう側のことを考えるための唯一の手がかりになる。

深層世界で安らう

ハーマンは、人間の意識に先立つところに広がる世界を「暗く隠れた現実」と表現した。そして、『ゲリラ形而上学』では、暗闇としての世界をめぐる考察を、孤立した事物の出会いと相互触発が発生する、感覚的な媒質をめぐる考察として展開していった。

感覚的な媒質をめぐる考察はリンギスの著書に由来するが、じつはリンギスは感覚的な媒質を、公共圏という透明な言語的コミュニケーションの領域とは区別されるものとして考えようとしていた。ハーマンの考察は、リンギスのいう感覚的な媒質を、人間の意識や言語コミュニケーションから独立している客体的なものの相互作用が起こるところとして捉え、明確化した点で優れていたといえるだろう。それでも、感覚的な媒質を公共圏と違うものとして捉えようとしたリンギスの試みは、ハーマンの考察では十分に着目されておらず、展開されていない。

「私たちは事物のただなかで自分自身になり、自分の自己同一性を保つことになる」——リンギスは、事物とのかかわりのなかで生きるものとして人間を捉え、事物と人間の接触と連関が起こるところとして感覚的な領域を考えようとした。そこは公共圏から区別されるだけでなく、公共圏だけでこの世界が成り立っていると考えるかぎり触れることのできないところでもある。リンギスは、そこで生きるということにかんして次のように述べている。

光を領有したり、私有財産をこしらえたり、他人からその雰囲気を奪い取ったり、暖かさを独占したり、自らの存在を支える土台の上に拡がっている事物を領有したりすることで、自分を区別された何ものかにしたり、強固にしたりすることはできない。目に入る光は人間としての一貫性を崩し、光の匿名性は、その人の目において光り輝く。人は、肉眼が見るようにして、見る。森はざわめきを発し、都市のどよめきは耳に侵入し、その耳が、聞く耳のようにして聞く。人の姿勢のなかに立ち上がる地面は、その人の一貫性を崩し、脱人格化する。人は、木が立つようにして立ち、地中に生息する生命が歩くようにして歩き、地中に生息する生命が休むようにして、さらには岩や砂が休むようにして休む。(Lingis 1998, p. 19)

光や雰囲気、暖かさは、私に属するのではない。私には雰囲気や暖かさを独占できない。独占することで、私を周囲から切り離し、私を独自にし、私の私らしさを際立たせていこうとする振る舞いは、端的に言って、光や雰囲気に対する暴力である。私はむしろ周囲をとりまくものとしての光や音に浸透されることを自らにおいて許すことで、私らしさを崩し、私なるものを周囲へと開き、そこで他なるものと出会い、連関しようとする。目、耳は、私の身体の一貫性を逃れ、有機的一体性なき状態において、目そのもの、耳そのものとなって、光と音を受けとめていく。地面もまた、下層から私へと浸透していく。虫や木々、岩や砂と同じく、地面にいるものとして、私もまた、歩き、休息する。歩く私は、有機的一体性を自らにおいて崩し、とりまくものとしての感覚的な媒質に浸されている。歩くという行為は、その媒質のなかで起きていて、そのかぎりにおいて、虫の歩行や岩の佇(たたず)まいと変わらない。

リンギスは、私が虫や岩と連関し、事物的になっていく領域としての媒質を、深層的なものとして考えている。深層的な領域で、私は岩と同じく安らっている。あるいは、こうも言えるかもしれない。私は岩と同じように安らうことで、深層的な事物の世界の内部に入り込んでいる、と。

フレッド・モーテンは「生活世界と事物の地下世界（アンダーワールド）のあいだの差異の根本的危機」にかんして、「事物は生活世界において、あからさまに、露骨に現れるが、ただしその外縁として、その核心として、その空間的時間的な定位力として現れる。それでいて、事物は地下世界に住みついている」と述べる（Moten 2018, p. 12）。つまり、地下世界こそが現実の人間世界を支えるのであって、事物はそこに存在している。だが、事物が人間に対して現れるのは、人間の生活世界の外縁において、つまりは境界においてである。この外縁で、人は深層的な事物の領域に触れていることができる。

人間の生活世界は、人間が生きているところであるかぎり、地下から区別され境界づけられた、限定的なところとしてつくられ保持されていることを要する。それでも、そこは地下世界から完全に切り離されえないだけでなく、じつはその表層部分でしかない。表層がすべてだと思うとき、人は事物にとりまかれていることを忘れ、岩とともに安らうことのできる存在であることを忘れてしまっているのだろう。

第5章

人間の覚醒

柄谷行人

エコロジカルな危機の状況において、現代の出来事は、人間が定めた既存の尺度を乗り越えたものとして起こり、人間の生活世界を圧倒してくる。この現実を受けとめつつ、そこで人間生活の条件を新たに構想するには、人間に先立つところにある世界の物質性、事物性、音響性、客観性を強調し、そこにおいて、世界設定にかかわる思考を試みることが大切である。人間がいてもいなくても存在するものとして世界を考えること。人間の生、人間の経験の形式を規定し、左右してくるものとして、世界を考えること——これが本書の課題である。

重要なのは、現実に起きたこと、起きていることの事物性、客観性を打ち消すことなく、むしろ感覚と思考の起点にすることである。そこで言葉をあらためて発し、交わし、シェアしつつ、既存の公共圏とは別のコレクティヴのあり方を模索していくことである。

そのためにも、理性的討論のための空間として成り立っている公共圏の閉域を抜け出ていくことが求められる。だが、それは、その外側にではなく、その下層、深みに向かうことを意味する。世界に降り立つ、ということである。それは、人間の存在に先立つものとしての世界の存在に気づくことである。

おそらくは一九八〇年代、情報過多の公共圏で流される情報に敏感になり、流行を追うことが世界の現実を感じ理解していくことだと考えるのが主流になって、これを補完するものとして、フーコーやデリダやドゥルーズといったフランス人哲学者の思想が読まれ、語られ、消費されていくなか、世界の現実は表層的なものとして考えられ、語られるようになった。テクスト、記号の戯れとして現実は把握されたが、そこでないがしろにされたのが、事物の世界のリアリティである。かつて、英文学者でありながら建築や都市、そして来たるべき環境学のことを考えていたマサオ・ミヨシ（一九二八―二〇〇九年）は、「ハイブリッド」をはじめとするカルチュラル・スタディーズの言葉もまた、世界の事物性を曖昧にし、現実の諸矛盾を打ち消すものである、と述べていた（「貧困、抑圧、抵抗などの物質的障害が、抽象的なにじみやしみのうちに解体され消去される（「ハイブリッド性」や「ディスクール」といった語の人気はここから来ている）」（Miyoshi 2010b, p. 154／三三頁））。ミヨシの事物への関心は、情報過多の公共圏と現実感覚を鈍らせる思想的流行語の空虚な表層性に対する批判に裏付けられている。

京都府立植物園にて

二〇一九年五月中旬、私は京都府立植物園にいた。その日、そこでは「生きられた庭」というアートイベントが行われていた。キュレーターのねらいは、美術館とは異なるところでのアート展示である。きれいなバラなどと一緒に絵が飾られているといったことかと想像したが、そうではなかった。そこでの主題の一つは、台風後の植物園だった。絵画やインスタレーション作品は、木が倒れ、その生々しさを残した状況を消さず、そこにとどまるとはどういうことか、といった問いとともに創作され、鑑賞者に届けられていた。

とりわけ、台風のあとということに引きずり込まれていくのを感じた。二〇一八年九月四日の台風は、関西一円を直撃して、木を倒し、屋根瓦を吹き飛ばし、関西国際空港を破壊した。猛威のあと、私が住んでいた豊中市にある原田神社の荒（すさ）み方をみて、私たちはただ自然のことを忘れていただけだった、とあらためて思った。植物園で展示されていた作品群から、私は、自然を忘れるな、それも、猛威とともに密かに存在するようになった生きた自然を忘れるな、それとともに生きるよりほかにないのだ、というメッセージを受け取った。作品の各々はささやかで、アサーティヴでない、人を傷つけもしない優しいものばかりだったが、だからこその強さ、確かさを感じたのである。

そこであらためて感じたのは、人間生活は自然世界にとりまかれている、ということだった。自然というのは、鴨川であったり大文字山であったり近所の原っぱであって、具体的である。人はそこと普通に接し、生活感覚を磨き、共存の技法を感性的に知る。そして、この共存の技法とともに、生活の場が知らぬ間に形成されているが、これはじつは、自然と触れるなかで形成されている。ところが、いつしか私たちは、そのことを忘れている。しかも、たとえば震災後の東北沿岸部の、堤防で海と隔てられたところに広がる更地に漂う空虚にあらわなように、自然によってまたも自らの生活世界が破壊されてしまうことへの恐怖からか、私たちはまたも自然のことを忘れようとしている。自然は疎外されていない。ただ忘れられ、ないがしろにされているだけのことだ。

ところで、展示を訪問した人の皆が私と同じことを感じたわけではない。ある人は、この展示を、どちらかといえば批判的に捉えた。この批判は、まったく無意味というわけではなく、重要なポイントを含んでいるし、よく考えられたものだとも思う。それでも、私には、展示において意図されたことへの届かなさというか、どことなく平坦で、展示の深みに触れることのできない図式的な議論のようにも思われた。私は何か溝のようなものを感じてしまったが、それはかならずしも不毛な溝というのでもなく、じっくり考えるべきものがあるように思う。

その人の言い分は、おおよそ次のようなものであった――「生きられた庭」というのであれば、日常的に植物園に来ている来場者や植物園のインフラを支えている人（植物学者、清掃人やチケットを切っている人すべて）に焦点を当てるべきなのに、これらの人の存在は不可視化され、美しい植物園の風景、作品と作家によって、かき消されている。さらに、植物園にまつわる歴史（万博の構想、大正天皇との関係、そしてＧＨＱによる接収）が掘り下げられておらず、脱歴史化された自然だけが残されてしまっている。

このような見解に対して、なんと答えたらいいものか。まずは、やはり「生きられている」ということをどう捉えるか、そこをめぐる違いがある、ということを指摘したい。思うに、「生きられた庭」は、庭という空間を活気づかせる営みだったといえるのではないか。私の考えでは、庭であれ広場であれ、人間世界に形成された空間そのものは、活気づいていることもあれば、逆に死んでいることもある。ここでいう空間の生と死は、人間や動物や植物といった複数の生命体が住みつくところにおいて生じる生と死のことで、だからそれは、気配や雰囲気のようにしてそこに生じている何らかの質感の度合いにかかわる事態を意味している。「生きられた庭」は、植物園を一つの庭に見立て、この庭という空間を、アートをつうじて活気づかせようとする試みであった。チケットを切る人や清掃人もまた、この庭そのものが活気づくなかで、普段とは違う生の体験をすることができるかもしれないし、来園者も普通にバラや食虫植物を見ているときとは違う体験をすることができるかもしれない。

……というように、互いの意見は食い違ってしまうのだが、どちらの意見が正しいかを決めるのは、あまり生産的でないと思う。重要なのは、日常の人間世界には私とは違う感覚の人がいるし、それゆえの溝が現実に発生するということである。しかも、この溝は、私が住みつく世界において存在している。この溝において、私は、私の思考とは相関しないところに生きている人がいて、私には理解の難しいことを考えている人がいる、という現実に直面する。考えてみたいのは、そうやって生じてしまう溝とは何か、溝が生じていることをどう受けとめたらいいのか、ということである。

柄谷行人の「視差」

日常の人間世界で生きているかぎり、人は自分の視点と他人の視点が食い違ってしまうということを、否が応でも経験してしまう。この食い違いをめぐって考えたのが、柄谷行人（一九四一年生）であった。視点の食い違いをめぐる柄谷の思考において重要なのは、カントの哲学である。

柄谷もカルチュラル・スタディーズや公共圏論をはじめとする思想の相対主義的傾向には批判的である。彼の場合、この批判をカントへの回帰をつうじて遂行する。柄谷の考えでは、カントは「われわれが意識しないような、経験に先行する形式を明るみにだす」ことを試みた。それは、人間の主観性に回収されることのない「物自体」にかかわるもので、それゆえこの経験に先行する形式はたんなる反省によっては取り除くことのできない「超越論的仮象」であると柄谷はいうのだが、柄谷は、超越論的仮象が「外的で客観的な世界」とのかかわりにおいて形成されるものだとも述べている。

外的で客観的な世界をめぐる考察は、『トランスクリティーク』の日本語版（二〇〇一年）ではなく、英語版（二〇〇三年）で読むことができる。日本語版で、柄谷はカントが自分の企てを「コペルニクス的転回」と呼んでいることに注意をうながす。カントの「コペルニクス的転回」は、普通、外的対象を主観が外界に「投げ入れ」た形式によって「構成」するということを述べたものとして受けとめられてきたのであるが、柄谷の考えでは、世界をめぐる人間の思考を天動説から地動説に転回させたコペルニクスは「主観中心的思考」を否定したのであって、カントはこれを忠実に実行したにすぎない。そして、柄谷は「カントの「物自体」という考えにこそ、この意味での「コペルニクス的転回」があらわれている」（柄谷 二〇一〇a、四八頁）という。そして、英語版では、さらに「とりわけ、外的で客観的な世界とのかかわりのなかにある主観の受動性を強調しているところにおいて」カントの「物自体」の考えが現れている、と書かれている（Karatani 2003, p. 29）。

柄谷は、私の主観の存在とはかかわりなくそれに先行するものを「客観的な世界」と表現している。ここに私は着目してみたい。

柄谷自身は、「物自体」についての考察を世界の客観性の方向には徹底させず、むしろ人間の道徳的「信」を支える統整的理念という意味での「超越論的仮象」として考えようとする。柄谷は述べる。「普遍的な道徳法則によって生きる者は、現実には、悲惨な目に遭うだろう。人間の不死と神の審判がないかぎり、それは不条理に終るほかない。だから、カントはそのような「信」を、統整的理念（超越論的仮象）として認める」（柄谷 二〇一〇a、七九―八〇頁）。

だが、人間がいてもいなくても存在するものとして世界を考えることができるとするなら、外的で客観的な世界は、仮象や理念というような人間の信念を支えるものはかかわりなく、それ自体で存在していることにならないか。世界は、人間が思考し発する言葉や声とは無関係に存在していて、人間たちがつくりだす公共圏のようなものとも無関係に存在していて、公共圏で交わされる様々な意見や情報やフェイクニュースとも無関係に存在していて、だから人間の言葉の捻じ曲げ作用とも無関係であり、むしろ言葉の捻じ曲げ作用に抵抗することのできる確かさとともに存在するものではないのか。

じつは、世界の客観性をめぐる柄谷の感覚と思考は『トランスクリティーク』におけるカント読解に始まるものではない。「超越論的仮象」や「統整的理念」のようなカント哲学の概念とは無関係のところで始まっている。『隠喩としての建築』所収のエッセー「鏡と写真装置」(一九八二年)で、柄谷は、世界の客観性を写真や録音機器のような複製技術との関連で考えようとしていた。

たぶん誰でも自分の声をはじめてテープで聞いたとき、いたたまれぬようなおぞましさを覚えるだろう。「あれは私の声ではない」という思いと、「あれが私の声なのだ」という思いが交錯する。その思いはどちらも正しいので、われわれはその決定不可能性のなかで錯乱をおぼえる。〔…〕肖像写真が出現したときも、ひとびとは同じようなおぞましさを感じた。写真が出現するまで、人間は自分の顔を鏡(水鏡をふくむ)でしかみたことがなかったのだから。写真は鏡とちがっている。常識的にいえば、写真にうつった私の顔は、鏡のうつる(ママ)見なれた顔とは左右が逆である。しかも、それは肖像画とちがって、有無をいわさぬ、ある《客観性》をもってあらわれる。それは誰のものでもない眼差である。この《客観性》の位相は、写真技術の出現まで人間が経験したことのないものである。(柄谷 一九八九、一五八頁)

柄谷は、このエッセーではカントを論じていない。それでも『トランスクリティーク』で語られることになる世界の客観性をめぐる基本アイデアは、すでにこのエッセーに示されている。それは、聞きなれた声と見なれた顔の存在する世界（主観的世界）と、聞きなれぬ声が流され、見なれぬ顔が現れてくる世界（客観的世界）のあいだには溝があり、人はこの溝におぞましさを感じてしまう、というものである。テープが再生する私の声と写真にうつった私の顔は、聞き慣れた声と見慣れた顔とはまったく違う。重要なのは、私の身体から直接発される声と私から離れたところにある機械装置から発される声との間には溝があり、ズレがある、ということである。この溝において、私たちは世界の客観性を感じている。それは、私の主観的意識に浸透された日常の生活世界の外部にある、有無を言わさぬ世界の客観性である。

視差における世界

『トランスクリティーク』における柄谷のカント読解で重視されるのが、『形而上学の夢によって解明されたる視霊者の夢』（一七六六年）である。これは、一七五九年七月一九日に起きたストックホルムの大火を予言した視霊者であるエマヌエル・スウェーデンボルグ（一六八八—一七七二年）に魅了された、カントが書いた論考である。[1]

柄谷がこれを重視するのは、カントが視霊、つまりは予言を一種の夢想や脳病ないしは精神錯乱だと考えながら、それでもスウェーデンボルグの知を否定しなかったからである。柄谷はこう論じる。

「霊という超感性的なものを感官において受けとることは、多くの場合たんに想像（妄想）でしかないが、中には、それを妄想として片づけられない場合がある。〔…〕カントはそれを認めざるをえなかった。だが、同時に否定せざるをえなかった」（柄谷二〇一〇a、七一頁）。

ここで着目すべきは、柄谷がスウェーデンボルグの予言を認めつつ否定したカントの姿勢を重視していることである。未来において起こりうる出来事にかんする予言を認めつつ否定するとは、どういうことか。柄谷ははっきり論じていないが、彼が言わんとすることを注釈するなら、次のようになるだろう。

未来において起こりうる災害についての予言。このようなものが災害発生に先行して存在していただけでなく、本当に災害が起きてしまったという現実を受け入れるなら、スウェーデンボルグを予言者として認めることになり、彼が今後言うことのすべてを真に受けるよりほかなくなる。もしかしたら適当な思いつきで言ったことがたまたま実現しただけのことでしかない、と考えることもできなくなるだろう。

これに対して、予言を否定することは、それが妄想であり、あるいはただの思いつきでしかないとみなして片づけてしまうことを意味するが、その場合、人間の知には絶対的な限界があり、人間の日常世界をとりまく広大な世界において起こりうる未来の予見などということは絶対にできない、ということになる。おそらく、予言は、この生の許す範囲、つまりは日常の生活世界の範囲で可能な人間の思考の限界を越えたところに広がる世界にかかわるもので、つまり、日常世界の外縁的なところに生じる何らかの感触、兆し（きざ）のようなものを感じて、それを言語化していくことを意味しているのではないか。スウェーデンボルグは、日常の外縁を感じることのできる人間だったが、この感覚は日常世界の範囲内で生きかつ思考している人には思いもよらないところに届いている。視差はここに生じているが、予言を否定する人は、その視差の存在を無視し、のみならず否定する。

ところで、柄谷は、視差についての考察を「現象の認識の普遍性」の成立条件にかかわることとして展開している。つまり、個別の主観的認識がいかにして普遍的なものに総合されるか、という認識論的な問題を問うなかで視差の概念が見出されていくのだが、これに対して、私は視差についての考察を、私をも含めた人が生きていることの支えとしての世界がいかなるものかを考えるためのものとして再構成している。問われるのは、現在の日常的なこの世界に生きている複数の個別の主観がいかにして総合されるか、ということではない。「自分の視点と他人の視点の差異（視差）から露呈してくる現実」のようなもの。ここで私たちは世界の実相に触れることになる。だからこそ、複数の主観の総合ではなく、ここに生じた差異（視差）を維持しておくことのほうが大切である。[2]

あるいは、このように問うこともできるかもしれない。「視差」とともに生きているとはどういうことか、と。それは、同じ映画を観ても、同じ出来事に遭遇したとしても、私の視点と他人の視点はそれぞれに違う側面を把握しているということだが、そこで問われるのは、私と他人が意思疎通できていない状態をどうやって乗り越えるか、ではない。「視差」で隔てられつつも同じ出来事に遭遇しつつ一緒に生きてしまっていることの奇妙さをどう考えるか、である。

スウェーデンボルグは、日常世界の範囲内で生きている人たちの視座から外れたところにおいて、世界を感じとっている。つまり、この世の外縁にいる。もしかしたら、「視差」で隔てられたところにいる他人は、この世に属する人ではないのかもしれない。この世の外、向こう側で物体と化してしまった人たちもまた、他人であり、自分、つまりはこの世のなかで視点をなおも維持できている人たちと溝で隔てられてしまっている。あるいは、この世になおも身を定めつつ意識はあの世に彷徨(さまよ)っている人も、もしかしたら日常世界の範囲の外縁において向こう側にいる他人として存在しているのかもしれない。[3]

おそらく、カントのいう物自体は、溝の向こう側にある。溝のこちら側にいる人間の視点では捉えられないところに存在する。カントは、溝の向こう側の視点とこちら側の視点の総合などを考えるよりもまず、そこに隔てが、つまりは視差があることを認めていく。

> 以前には私は一般的人間悟性を単に私の悟性の立場から考察した、今私は自分を自分のでない外的な理性の位置において、自分の判断をその最もひそかなる動機もろとも、他人の視点から考察する。両方の考察の比較はたしかに強い視差を生じはするが、それは光学的欺瞞を避けて、諸概念を、それらが人間性の認識能力に関して立っている真の位置におくための、唯一の手段でもある。(同書、七三頁)

この箇所について、柄谷は、自分以外の他人の視点をも尊重して他人の視点から物事を見よという穏当な結論を導き出すものとしてではなく、自分の視点と他人の視点のあいだに溝があることから積極的な洞察を導き出そうとするものとして読解する。

そして、柄谷は、カントのいう他人の観点がいかなるものなのかを、カメラやテープレコーダーという機械装置を例にして説明していく。この説明は、通常の哲学研究の観点からいうと、かなりアクロバティックではある。それでも、カントの「視差」を、スマートフォンとSNSが日常生活のなかに浸透していくなかで人間の思考と感覚、さらには世界のあり方を考え直すことが求められている現代的状況のなかで考えるうえでは、じつは的確である。

写真が発明された当初、自分の顔を見た者は、テープレコーダーで初めて自分の声を聞いた者と同様、不快を禁じ得なかったといわれる。鏡による反省には、いかに「他人の視点」に立とうと、共犯性がある。われわれは都合のいいようにしか自分の顔を見ない。しかも、鏡は左右が逆である。一方、肖像画は確かに他人が描いているが、もしそれが不快なものであれば、それは画家の主観（悪意）によると見なすことができる。だから、他人がどう描いても、私には響かない。しかるに、写真にはそれらと異質な「客観性」がある。誰かがそれを写したにせよ、肖像画の場合と違って、その主観性をいうことができないからである。（同書、七三―七四頁）

写真や音声データと直面するとき、人は自分の像や声が他人の視点のもとで把握されうるものでもあることに気づくだけでなく、自分とは違う他人の視点がこの世界に存在すること、他人の視点を保持しつつ生きている人が現実に存在することに気づく。

私とは異なる人である他人の視点のもとで、私が捉えられている。しかも、それらの他人の視点は、カメラやレコーダーのようにして、私が何を考えているのかなどおかまいなく、勝手に捉えてくる。私がそこにいるかぎり、他人の視点が私のことを捉えてくる。そして、かりに私がそこから消えても、私がこの世から消滅しても、カメラやレコーダーがとどめた画像や音声のように、私の残像は、私の主観や意識とはかかわりなく、他人の視点に捉えられた状態、すなわち客観性＝他者性において残存することになるだろう。

さらに重要と思われるのは、自分とは違う他人のなかには視霊者という普通ではない人間もいる、ということである。カントが「自分のではない外的な理性」と述べたとき、念頭にあったのは、おそらくスウェーデンボルグだった。スウェーデンボルグが保持する視点は、日常的な生活意識を超えたところに及びうるものであり、だからこそ、この視点と自分の視点の比較から出てくる視差は強烈なものとなる。この強烈さゆえに、そこにさらけ出される現実の強度も、やはり強烈なものになるだろう。

スウェーデンボルグは一種のカメラ、録音機器のようなものとして存在した、と考えることもできる。それは、人間ならざるものとしての機械が可能にしてくれる「或る客観性＝他者性の導入」と同様のことを生身の心身でおこなう、ということである。

カメラと録音機器の精度が高まり、広範に所有され、実装されていく現代においては、客観性＝他者性の導入自体、日常化されていると考えることができるだろう。だが、デジタル時代においては、撮影された画像は加工されデジタル処理されてしまう。つまり、写真の客観性は主観化されてしまう。それでも、依然として、デジタル処理されることのない状態で出会う写真には、客観性がある。

客観性＝他者性は、日常性に絡め取られた意識にはそもそもなじまない、慣れることのできないものである。

カントの物自体

柄谷は、視差との関連で、カントの物自体をも考えようとした。じつはカントの物自体をめぐる考察は、二一世紀の思想的転換において、再評価されている。「現象（私たちにとっての諸存在）にくわえて、物自体が存在すると主張した」人として、カントが再評価されている（Bryant 2011, p. 37）。

メイヤスーが『有限性の後で』（二〇〇六年）で自らの哲学を展開するときに参照したのも、やはりカント、それも物自体に関心を向けた人としてのカントである。メイヤスーは、カントが定めた枠組みにかんして次のように言う。そこでは「言明と対象の一致は、「それ自体」として想定される対象と表象との「一致」ないしは「類似」としては、もはや定義されることがない、なぜなら、そのような「それ自体」は到達不可能だからだ」（Meillassoux 2008, p. 4／一五頁）。ここでは、人間が思考し発する言明と、人間の思考とは関係がなく人間には到達できないものとして存在する何ものかとしての「それ自体」とが区別されている。さらに、「それ自体」として存在する何ものかは、人間の思考によっては到達しえないところにあるものとされているのだが、カントの議論では、少なくとも「それ自体」で存在する何ものかがまったく存在しないとは言われていない。

メイヤスーが問題化するのは、カントがその存在を否定することのなかった「物自体」が、科学的な言説のもとで、ないことにされてしまう、ということである。メイヤスーは、人間の思考が形成する主観的表象には二つの種類のものがあるという。一つが、普遍化可能な、「権利上誰もが実験によって検証可能な」科学的な表象であり、もう一つが、普遍化できず、ゆえに科学の言説の一部となることのできないタイプの表象である。カントが生きた時代の後には前者の普遍化可能な表象が優勢になったが、それにかんしてメイヤスーは「間主観性、すなわち、ある共同体への同意が、孤立した主体による表象と事物それ自体との一致に取って代わり、それが客観性の真正なる基準、さらに言えば、とくに科学的な客観性の基準の地位をもつようになる」と論じていく(ibid., p. 4/一五頁)。

一人で孤立した主体であれば到達不可能なものとしてではあっても存在するものとして考えることのできていた何ものかは、科学の言説を共有する共同体が優勢になり、多くの人がそこで思考し議論を始めるにつれて、ないものにされてしまう。共同体のなかで流通する科学の言説にしたがって思考し言葉を発する人は、それ自体で存在すると言われる何ものかに触れていくことができなくなるだけでなく、そのようなものはこの世にはないと考えるようになるだろう。

柄谷は、カントのいう物自体を、自分の視点と他人の視点の視差から露呈してくる現実として考えようとした。そして、柄谷は、ドイツを出てイギリスに移動したときマルクスが衝撃とともに受けとめたのが、まさにこの現実だった、と述べているのだが、柄谷が言わんとするのは、ドイツという共同体からイギリスという別の共同体に居場所を変えたということではない。ドイツという共同体でもなければイギリスという共同体でもないところ、その差、間隙で、何かよくわからないものと出会ってしまった、ということである。つまり、柄谷も、共同体内に組み込まれ、そこで安住するかぎり出会われることのないものとして、物自体を考えている。

だが、柄谷が物自体を語るとき、彼はそこに「他者性」を認めるべきだ、と繰り返し述べる。そこがメイヤスーとは異なっている。メイヤスーは、共同化されることのない孤立した私の内省と関連させて物自体にかかわる問題を提示するのに対して、柄谷は「肝心なのは、物であれ、他者であれ、その他者性である」と述べる。

それは何ら神秘的なものではない。「物自体」によって、カントは、われわれが先取りできないような、そして勝手に内面化できないような他者の他者性を意味している。（柄谷 二〇一〇a、七八頁）

ここで言われているのは、物自体も他人の視点も、いずれも他者的なものとして存在する、ということである。もちろん、物自体と他人の視点を同列に存在するものとしてあつかうことはできない。物自体と他人の視点は区別しておく必要がある。他人の視点は、私の視点と同じく、他人という人間において、他人という人間に属するものとして、保持されている。つまり、物自体にアクセスできず、その現象についての表象以上のものを得ることのできないものとして、つまりは物自体を直接に経験できないものとして存在している。そのかぎりでは、私の視点と同じである。それに対して、物自体は、私や他人の表象作用とはかかわりなく、そのものとして存在している。私や他人を触発し、内容を与える何ものかとして、経験に先立って、それ自体で存在している。

それでも、柄谷は、他人の視点も物自体のようにして存在する、と考えようとする。ここが柄谷の独自なところと言えるのだろうが、いったいどういうことか。

それはまず、他人の視点もまた、私によって先取りできず、内面化できないものとして存在している、ということである。つまり、私の視点を逃れてしまうだけでなく、それ自体で、よくわからないものとして存在している。他人の視点が私の身近にある場合でも、そのわからなさ、謎深さ、すなわち他者性は、消されることがない。近親者であっても、同国民であっても、同世代であっても、出身地が同じでも、他人の視点の他者性は消えない。

それでも、他人の視点は、私の視点との視差を生じさせるものとして存在するかぎりでは、私の視点と完全に無関係な状態で存在しているのではない。他人の視点と私の視点は重ならず、違ってしまうが、それでもそこには視差があり、溝がある。そして、この溝において、何ものかが露呈してくる。このとき、他人も私も何かに触れてしまうのだろうが、さらに出てくるのは、ここにおいて触れてしまう何ものかをどう考えたらいいのか、という問いである。

人間ならざるものの露呈

柄谷は「超越論的態度とは、わかりやすくいえば、われわれが意識しないような、経験に先行する形式を明るみにだすことである」(柄谷 二〇一〇a、一四頁)と述べている。

そして、柄谷の考えでは、それは私の視点と他人の視点の「視差」においてもたらされる。私と私ならざる存在である他人との視点のズレ、食い違いにおいて開かれる溝が、人が生きていることの条件だと柄谷は示唆する。これは、この世界には自分の視点だけでなく他人の視点も存在するということとをどう考えたらよいのか、という問題である。

経験に先行するものは、私が普通に生きているときには、私の意識のなかに入り込まない。「私」の中に入ってこない。それでも、それは「私」をも現実にとりまき支えている。そこには他人がいる。他人がいることで「視差」が生じる。柄谷の考えでは、視差においてこそ露呈してくる現実がある。柄谷は述べる。それは「自分の視点で見ることでも他人の視点で見ることでもなく、それらの差異（視差）から露呈してくる「現実」に直面すること」である、と。ここでほのめかされている「現実」を、柄谷は「経験に先行する形式」という。この形式に関しては、私が内面化しようとしてもすることができず同一化することもできない「他人の視点」を保持する人もまた、現実に存在する空間として、つまりは「視差の空間」として考えることができるのではないか。そこは、いかなる視点であろうと内面化することのできない空間であり、単一の尺度に従わせることのできない空間である。内面化されることでその存在の確かさが確証される空間ではなく、私の視点と他人の視点のあいだの差異、溝、落差というようにして、その存在がおぼろげながらもほのめかされる空間である。

視差の空間は、日常世界を超えたところ、ないしはその深層において存在する。視差の空間は、私の視点と他人の視点の「あいだ」にあるのではない。私の視点と他人の視点のいずれからも遠のく、不可知の、不分明の領域が存在するということを露呈させてくれる空間である。言い換えると、視差の空間は、不可知の領域が露呈するところとしての空間である。私、別の私としての他人、そして私と他人が共有できているという思い込みにおいて形成されている公共圏を離れたところに広がっているが気づかれることのなかった世界の現実がそこで露呈する空間である。

チャクラバルティは、カント哲学における人間像が「つねに温和な気候」を背景とするものだったことに注意をうながしている。「彼の想定する「人間」は、最後の氷河期が終わった後にのみ存在することができた」(Chakrabarty 2016, p. 385)。それゆえ、カントにおいて人間は、自らの動物的な側面または人間的でない側面から切り離された、理性的なもの、社交的なものとして考えられてしまっている。人間は相互に理解可能で視点のあいだの差異もまた克服されることになる公共圏のなかで生きることができている、という考えは、じつはカントに由来している。チャクラバルティは、気候変動のもとで不安定化していく世界を考えるうえでは、カントが定式化した人間像、さらに社会像は不十分である、と主張する。従来の人文学では、人間のあいだでの正義や倫理が重要だったが、それは人間中心の価値観だった。チャクラバルティは、人文学および人間科学には、その人間中心主義を克服し、「人間世界を人間ならざるものの観点からも見ることができるようになるだろうか」と問いかける。そこで求められるのは、今やヨーロッパには限定されることなくグローバルに共有された人間中心主義の価値観の問い直しであるが、チャクラバルティはカント哲学がその基本設定を定めたと考えている。

だが、カントが着目したスウェーデンボルグの心身は、理性的で社交的な人間が暮らす温和な世界の外縁に広がる不安定な世界に向けられていた。スウェーデンボルグの予言は、私たちもまた生きている世界の客観性=他者性を露呈させる、ノン・ヒューマンな作品の先駆の一つといえるだろう。スウェーデンボルグの予言を否定しなかったカントは、人間中心の尺度で定められている世界設定を逸脱していく人間ならざるものの視点について、じつは考えていたのではないか。

人間的尺度を疑うこと――それは、人間的尺度で規定されている世界そのものに揺さぶりをかけていくことを意味している。その一つが、人間的尺度で定められた世界のなかにじつは密かに入り込んでいるノン・ヒューマンなものを露呈させていくことである。

デジタルな日常世界と荒廃していく現実世界

といっても、普段の私たちは、日常に埋没しながら生きている。人間的なものとして自己完結的に成立している日常の生活世界の外縁のことなど考えもしない。たとえ日常世界に居心地の悪さを感じ、世界の終わりについて考え、あの世に思いを巡らすことがあったとしても、ただ疲れているだけだとか、気のせいだとか、そう思うことで、やり過ごしてしまう。だが、日常の居心地の悪さは、かならずしも主観的な思い込みの問題とはかぎらず、じつは世界の成り立ちにかかわる、現実設定ゆえのものであるのかもしれない。日常は壊れることのないものだと信じられている。狂気や憎悪が増幅されていく果てに起こりうる戦争状態や無差別殺人事件や突発的な自然の猛威や謎のウイルスの蔓延に際して起こりうる破局的事態など絶対にない、と信じられている。そう信じることに何か無理があるのではないか。

日常に感じる居心地の悪さの要因を追及することができるためには、そこから外れていくことが求められる。一九九九年の映画『マトリックス』（ラリー・ウォシャウスキー＋アンディ・ウォシャウスキー監督）のネオは、徹底的に人工化された日常環境のなかに送り込まれてきた謎のメッセージをきっかけとするモーフィアスとの出会いを契機にして、自分の生きている現実世界がＡＩによって自動生成されていくヴァーチャル・リアリティであることを知る。二一世紀の早い時期、ＡＩは高度に発達し、単一の意識を持つことになった。これに危機感を抱いた人間は、ＡＩの動力源を遮断すべく、ジオエンジニアリング技術をもちいて、太陽エネルギーが地球に到達するのを妨げたが、そのことゆえに人間文明もまた滅ぶことになる。しかも、結果としてＡＩが人間に勝利し、人間が発する生体エネルギーを核エネルギーと融合させてつくりだしたエネルギーを動力源とする、新たな文明世界をつくりだす。[4]そこで人間は、本当はＡＩがつくった文明世界の奴隷でしかないのだが、ＡＩが生成するヴァーチャル・リアリティのおかげで、奴隷として生かされている現実を知らずに夢見て生きていることができている。

もしかしたら、こうやって文章を書いている私も、この本を読んでいるあなたも、「マトリックス」という名の装置が生成しているヴァーチャル・リアリティのなかで生きているのかもしれない。だが、『マトリックス』はＳＦであり、映画のなかの出来事である。とりあえず、今はそう考えておこう。

それでも『マトリックス』を現実の設定にかかわる思考のための作品と捉えることもできる。実際、スラヴォイ・ジジェク（一九四九年生）は、『視差の視点（パララックス・ヴュー）』（二〇〇六年）と題された著作――これはじつは、柄谷行人の著作から示唆を得て書かれている――のなかで、『マトリックス』にかんして次のように述べている。

モーフィアスの有名なセリフ「現実の不毛さにようこそ」は、マトリックスの外側にある現実世界を示唆しているのではない。むしろ、マトリックスそのものの、純粋にフォーマルなデジタル宇宙を示唆している。モーフィアスがネオにシカゴの荒廃のイメージを見せつけるとき、彼はただ「これが現実の世界だ」というのだが、それはつまり、破局後にマトリックスの外側に残る私たちの現実の残滓である。これに対して、「現実の不毛さ」は、マトリックスに囚われている人間たちの虚偽の「経験の豊かさ」を生成する純粋にフォーマルなデジタル宇宙の陰鬱さを意味している。（Žižek 2006, p. 312／五五五頁）

この見解を、私がこれまで論じたこととの関連で注釈するなら、次のようになる。

⑴私たちは、デジタルの世界で生きている。そこは純粋なコミュニケーション空間としてのサイバー空間であり、オンラインの世界である。『マトリックス』がヒットした一九九九年以後、情報科学技術の発展にともなって、私たちの生きている世界設定のデジタル化はいっそう高度化した。

⑵世界設定のデジタル性を所与のこととして受け入れつつ生きる私たちには、その外側に現実世界があると考えるのが難しくなっている。もちろん、モーフィアスやネオのように、デジタル化された世界設定のもとで生きている人間たちを俯瞰して捉えることのできる人たちには、そこを不毛で荒(すさ)んだところと捉えることもできるかもしれないし、そのなかで生きてしまっている人たちの経験を「虚偽」と捉えることもできるのかもしれないが、それでも、デジタル世界に没入して

いる人はサイバー空間での経験を豊かなものとして感じている。

(3) ネオは、日常生活において感じてしまう違和感が、自らの心身が存在しているところとしての世界の設定ゆえに生じている、ということに気づく。ネオが直面するのは、自分の経験がヴァーチャル・リアリティとして生成されている現実である。ネオは、ヴァーチャル・リアリティのなかで虚偽の経験の豊かさを与えられている状態が、じつは自らの心身をデジタル化されたシステムに隷属させていくことでしかないことに気づく。

だが、ネオの覚醒は不十分である。映画では、シカゴの廃墟化は、世界設定のデジタル性にもとづいて構築された高度文明システムとしてのマトリックスの外に広がる広大な荒野として、それも荒れ狂う自然の猛威のもとで、なすすべもなく崩壊していく世界として映し出されている。にもかかわらず、映画のなかでは、現実世界の廃墟化は直接的には問題にされていない。もしもネオがさらに覚醒していくとしたら、ヴァーチャル・リアリティを生成させる事物としてのマトリックスというシステムと、その外部に広がる荒(すさ)んだ現実世界との関係をも考えることになるのだろうが、ネオの覚醒はそこまではいっていない。

ネオの覚醒は、逡巡とともに進展していく。実際、モーフィアスから「現実の不毛さ」のイメージを突きつけられても、ネオにはそれを受け入れることができない。ネオは二つの世界のあいだで引き裂かれている。デジタル設定のもとで稼働する高度な文明世界の内部と、それを「現実の不毛さ」として把握することを可能にするところとしての文明世界の外に広がる現実世界の二つである。映画でも、彼は二つの世界を行き来しつつ、自分もまた生きているこの世界の論理を探求し、理解していく。つまり、ネオ自身のなかに、二つの世界を生きる、二つの視点がある。これらは、けっして一致しないし、合意に達することもない――ここにも「視差」が存在している。

視差と二つの世界像

柄谷がカント読解から導き出した視差の概念は、人間を条件づけるものとしての世界をめぐるものとして捉えることができるだろう。

視差にかんする考察を、地球温暖化において変容しつつあるものとして経験される人間の生存条件としての世界をめぐるものとして再構成するなら、次のようになる。一方には、人間がなおも住みつき存在しているところとして想像される世界がある。他方には、人間がいてもいなくても存在しているものとして描き出される世界がある。人間は、自分たちとは無関係の、客観的で外的で他者的なものとしての世界において現実に住みつき、そこを占有している。私たちは、二つの世界のいずれかにおいて生きているのではない。二つの世界像が統合されず、交わらず、溝の開いた状態で併存している二重の状況において生きている。

人間が現実に生きているかどうかとはかかわりなく存在しているものとしての世界と、人間が日常的に住みつくことの支えとして存在しているものとしての世界。世界像にかかわる視差は、ここに生じている。チャクラバルティが述べているように、人間不在の世界は、ただ過去に（恐竜が存在していた頃に）存在していただけでなく、未来において存在するかもしれない。ダノウスキーとヴィヴェイロス・デ・カストロは、それを「徹底的に他者的な、私たちならざるもの」(Danowski and Viveiros De Castro 2017, p. 26) と表現する。世界の他者性は、将来世代、つまりは未来において存在すると想定される人間に対応するのではない。むしろ、人間が消滅したところにおいて顕(あらわ)になる、世界そのものの実相に対応している。「私たちが不在の世界」は「人間という種の存在以後の世界」なのである (ibid., p. 21)。

といっても、人間がかならず消滅するとはかぎらない。これは、あくまでも思弁的な問題である。現代のエコロジカルな危機の時代において私たちの生存の条件を構想するためには、人間という種もまた消滅しうる状況になろうとしていることとの関連でそれを考えることが求められる、ということである。マサオ・ミヨシは、二〇〇九年に書かれた論考で、新たなる環境学での問いを「人間の消滅を考えることに、はたして意味があるのか」と定式化する。

もしそうであるなら、私たちのサイクルが完結したあとに始まるサイクルについては、どうだろうか。きわめてわずかな希望しかないこの瞬間、私たちには少なくとも、地球においてなおも存続している生命を心待ちにすることはできる。(Miyoshi 2010a, p. 47)

ミヨシは、かならずしも人間という種の絶滅が必然であるとは考えていない。消滅しうる種としての人間に属する私たちには、人間以後に現れうる何らかの生命を想像できるし、想像することができている。私たちはまだ生きている。ミヨシが述べていることを踏まえるなら、さらにこういうことができるだろう。新しい人間の条件は、現在の人間と人間以後の存在とのあいだに開かれた視差において出現しうる、と。

そこは既存の人間世界の外縁である。人間世界が人間以後の世界へと転じようとする、まさにその境界である。廃墟であり、空き地である。すなわち、モーテンがサントナーのベンヤミン読解を論じつつ示した廃墟的世界である。廃墟を放擲された場所として捉えるのは、既存の人間世界にとらわれているからであり、既存の人間が消滅した後に現れる生命の観点からみたら、そこは新しい生活のための拠点として見えてくるだろう。といっても、もちろん人間が消滅するかどうかなどわからない。だが、少なくとも、人間以後の生命の視点が仮にではあっても存在すると想像しつつ、この視点との溝、ギャップを想定することは可能である。

第6章

地下世界へ

フレッド・モーテン

私たちが住みつくところとしての世界の現実を、いかにして理解したらいいのか。世界を、複数の主体のあいだに生じる間主観的な共通世界として考えることもできるかもしれない。人々がコミュニケーションし、普遍的な合意に達することを可能にする、共通の土台としての生活世界である、というように。これに対して、『普遍的機械』でフレッド・モーテンが述べているように、共通世界としての人間的な生活世界は「事物の世界」にとりまかれ、浸透され、支えられていると考えることもできる。

モーテンは「事物の世界」を「事物の地下世界」と表現する。彼の考えでは、それは「生活世界の内側またはその外縁に埋もれている」(Moten 2018, p. 12)。事物の世界は生活世界の一部分であり生活世界から排除されていない、と考えることもできるだろう。それでもそれは埋もれている、とも言われている。つまり、表面化されることのない暗がりにおいて、放擲された状態で、定まることのないありかたで存在している。

だが、モーテンのいう地下世界に埋もれた事物は、人間が存在するのに先立って存在していた無垢な自然の一部分としての自然な事物とは異なっている。人間が自らの生存のために構築した人為的秩序から脱落し、暗がりに放擲された事物である。すなわち、自然性を失って人間化されたあと、さらにそこから脱落した事物である。

それは、人間的・人為的秩序をも外れ、そこから放擲されてしまった事物である。自然的秩序からも外れているし、人間的・人為的秩序からも放擲されてしまった事物だが、これが既存の人間世界の消滅以後にも存続する。それも、私たちをとりまきながらも私たちから離れてしまった世界において存続する。

問われるのは、事物の世界で生きていることをいかにして考えるのか、である。地下世界に追いやられつつも執拗に存続する事物は、既存の人間的秩序には支えられておらず、定まらず、そしてはかない。この地下世界に支えられるところにおいて人間世界は成り立つことになる、とモーテンは示唆している。では、事物の世界と隔てられつつ触れ合うところに成り立っている人間世界をどう考えたらいいのか。

モーテンのいう地下世界は、人間世界の下層に追いやられて暗がりに存在しているが、それでも地下室のように、時空間的形成物として成り立っている。さらに地下世界は、人間世界に対する外部として、つまりは逃げ場としての外部として存在する。地下世界は、人間世界から放擲されたものたちの集うところとして、すでに存在している。すでにある人間世界の崩壊の後、なおも人間が人間として生きていくことを支える条件がありうるとしたら、地下世界以外にはありえない。モーテンは、そこを透明なコミュニケーション領域の外に広がる事物の世界として考えていく。事物であるかぎり、そこは私の意識と相関せず、私から離れている。それでも私は事物の世界において存在する。ところが、世界の事物性は普段は意識化されることがないし、のみならず、モーテンが指摘するように、西洋の哲学では地球的事物が無視されてきた。長らく無視されてきた地球的事物をいかにして感じ、表現するか、これが問われている。

音響と平滑空間

モーテンは、『ニューヨーカー』誌に掲載されたインタヴューで、「声と音響の違い」について述べている。

私はいつも、「声」は本物で本来的で絶対的な個のようなものを意味していると考えていたが、これを、(a)望ましくないし、(b)不可能なことと感じてきた。それに対して、「音響」は、すべてのものにしっかりとかかわっていくことの只中に存在してきた。これまでに聞いたあらゆるノイズとともに、いわばこのノイズのなかで、なんとしてでも差異をつくりだそうと格闘してきた。そして、この差異は、かならずしも個人としてのあなたについてのものではなく、むしろ、あなたのまわりにあるものを高め差異化しようとすることについてのものである。(Wallace 2018)

モーテンのいう「声」は、歌い手や語り手が直接に発する個性的なものを意味している。特定の歌手、特定のラッパーが、自分の本物の声として売り出し、商品化していくための素材を意味している。これに対して、音響は、誰か特定の個人に属することなく、むしろ個人化を逃れ、個人の外部に広がる音響世界に漂っている無数の匿名のノイズを意味する。モーテンが生活世界と事物の世界のあいだに設定する差異と関連させるなら、声は生活世界の内側で交換され、誰かの声として特定され、マスメディアで特権的な売り物にされるか、公共的な合意を導くための道具として用いられるのに対して、音響は生活世界の外部において散乱している。

音響は、声として個別化され、誰かのもの、何らかのカテゴリーに分類されてしまうのを逃れたところに存在している。誰かの語りとして識別され、分類され、マスメディア受けするお話の材料として単純化されてしまうのを逃れたところに存在している。音響は、誰かの語りや声に分類し単純化するお話を支えるロジックを破綻させるものとして存在する。音響には、声として個別化されてしまうことに抵抗する、音としての肉感、物質性があるからだ。

だが、この音響の肉感的な物質性は、ある種の極限状況において発見される。すなわち、「語ることが期待されていない時および場合に語る」ところにおいて発見される。モーテンは、この状況を「よりいっそう根本的な資格剝奪状態への抵抗」(Moten 2017, p. 66) と捉える。これは、何か語るべきことがあるはずなのに語ってはならず、語ってもそれが何かを意味するものとしては受けとめられず、無視され、何ごともなかったかのようにして受け流されてしまう状況において、それでもなお、自らにおいて生じている何かを表現しようとすることだといえるが、語ってもその語りが意味をなさないとしたら、そこに成り立つ世界そのものから逃れるか、世界の破綻を引き起こす表現を実行するよりほかにない。モーテンは、逃避ないしは破綻の表現のための物質的条件を、次のように言い表す。すなわち、「語りの下部にある語り。自らを否認するのを拒絶する音響的肉感性において生まれる語り」。

モーテンの地下世界をめぐる考察は、音響的な物質をめぐるものとして展開されている。ここに着目した論考の一つが、クレア・コールブルック（一九六五年生）の「意味からの逃避、音楽からの逃避」（二〇一八年）である。コールブルックは、デリダ、ドゥルーズ、リオタールをはじめとするポスト構造主義者の理論が前衛音楽（シェーンベルク、ヴァレーズ、シュトックハウゼンなど）との接点で形成されてきたことを論じ、シンセサイザーの非人間性を肯定的に論じるのだが、その最後、アドルノがジャズを批判したことに対する応答として、モーテンの議論を考察している。

コールブルックは、ドゥルーズやデリダを論じつつ、フェミニズム、人新世、ポストヒューマン以後といった問題群にとりくむ著者である。彼女が提起するのも、「私たちを人間にするものを破壊する能力」を人間が獲得してしまった状況以後をどう考えるか、という問いである。すなわち、人間が、人間を超えてしまう拡がりとしての世界に放り出され、「操作可能な観点を超えた分岐する諸力と時系列の複雑な多様性に直面する」（Colebrook 2014, p. 11）とき、人間がなおも人間として生きていくことを可能にするものがあるとしたら、何が立脚点になるか——おそらく彼女は、この問いをめぐって思考し文章を書いている。

コールブルックは、「意味からの逃避、音楽からの逃避」で、デリダやドゥルーズの文章を読解しつつ「音響の物質性」を論じていく。それは、音楽そのものというより、むしろ「有機的な身体に先行する音楽性（音響的な表現的物質）についての思弁的な意味」をめぐる考察である。コールブルックの理解では、音響そのものは「純粋に理性的なものではなく、論理（そして資本）の物象化されていて疎外されたシステムにもはや従属することのない未来をもたらすことになる、はるかに深い物質性」を意味している（Colebrook 2018, p. 13）。それは「いまだ音楽にならない音楽性」または「音響的物質性（a sonorous materiality）」であり、そこにおいてこそ「徹底的に非人間的で未来的なもの」

を見出すことができる、というのがコールブルックの主張である（ibid., p. 17）。音響は、人間身体とかかわりのないところ、人間身体から離れたところにおいて生じ、存在している。世界は音響的である。音響的なものとしての世界に、人間はとりまかれ、支えられ、条件づけられ、存在するようになる。音響的な世界は、物質性、情動性、生の振動性の漂う場である。それにかんして、コールブルックは次のように述べている。

> ドゥルーズとガタリの試みは、組織化された身体に先立つ音楽性（あるいは音響的な表現的物質）への思弁的な感覚のおかげで可能になる。存在するのは鳥の鳴き声だけかもしれない。それは鳥がその表現手段として所有し展開させる鳴き声のことだが、なぜなら組織化された生のすべてに先立つ表現の物質が存在するからだ。（ibid., p. 18）

人間身体もまた形成されて組織化されるのに先立つところに存在する音響性は、思弁的感覚によって把握される。普通、音は聴かれるもので、聴覚で把握されると考えられているが、コールブルックの考えでは、ドゥルーズとガタリの試みにおいて、音は音響性という概念的なものとして把握されている。

コールブルックの議論は、ドゥルーズとガタリが『千のプラトー』（一九八〇年）で展開した「平滑空間」の定義からみても、的確である。コールブルック自身は自分の論文では音響の空間論を明示的に論じていないが、彼女のモーテン解釈の背景にある思考をある程度はっきりさせておくためにも、

『千のプラトー』の該当箇所を参照しつつ議論を展開してみたい。

ドゥルーズとガタリによると、平滑空間とは、まずは開かれた空間である。「境界もなければ閉ざされることもない空間」であり、そこで人間および動物が配分されていくが、この空間的配分は、個別の切り離された空間を個々の人間に割り当てていくのとは違う。条理的に区分され境界づけられた個別空間の内部に人間を割り当て閉じ込めていくのではなく、開かれた空間において人間を散らす。そこで人間は、割り当てられた空間に我が身を閉ざした状態で従属させられていくのではなく、逆に「空間を占拠し、そこに住みつき、占有する」。ドゥルーズとガタリの考えでは、平滑空間は砂漠のような拡がりであるが、コールブルックが示唆するように、彼らは砂漠としての平滑空間を、視覚的なものではなく音響的なものとして考えようとする。

天と地を分かついかなる線もなく、介在する距離も遠近法もなければ輪郭もなく、視界はかぎられているものの、もろもろの地点や対象の上にではなく、さまざまな「このもの性（heccéité）」、つまり諸関係のさまざまな集合（風、雪や砂の波動、砂の響き、氷の割れる音、砂と氷の触覚的性質）の上に成り立つ極めて繊細なトポロジーがそこには存在し、それは視覚的というより、むしろはるかに音響的な空間であって、触覚的、あるいはむしろ「視触覚的（haptique）」な空間である。（Deleuze et Guattari 1980, p. 474／㊦七三―七四頁）

平滑空間は、触覚的・音響的な空間であり、触れられ聴かれるものとしての空間である。さらに、平滑空間は、地点や対象という定まったものにおいてではなく、風、雪や砂の波動、響き、氷の音、触覚的なものといった形なき性質の動き、方向性の総体として生じるものと捉えられている。風、雪、砂、氷は、人間の意識とは相関しない、人間ならざる事物だといえるが、ドゥルーズとガタリは、これらの事物をただ自然法則に従う現象として捉えるのではなく、波動や響きを発する感覚的な実在として捉えていく。さらに、波動や響きゆえに、氷や風は触れられ聴かれうるものになるが、ドゥルーズとガタリのいう「平滑空間」は、まさにここにおいて、つまりは波動と響き、音が交錯していくところにおいて、生じ、存在している。

平滑空間は、氷や風が生じさせていく響きや波動が交錯していく、人間ならざるものの空間である。開かれた無限定的空間においては、響きや波動が交錯し、広がっていく。響きや波動は聴かれ触れられうるものとして存在するが、そこでは、人間がいるかどうか、人間が実際に聴いているかどうかは重要ではない。

コールブルックは、聴かれ触れられるところとして世界を捉えるための言語を作り出そうとしている。それは、言語のあり方を、視覚を基本とする言語とは別の言語に変えることである。世界には、視覚を基本とする言語では語ることも思考することもできない領域があることを認め、そのうえで、この領域に達するための言語を創出することである。この試みは、モートンが提唱する新しいエコロジーの哲学と共鳴している。なぜならモートンも、「エコロジカルな哲学は、触れること、すなわち触覚に向かう完全に新しい言語を創出する必要がある」(Morton 2017, p. 112) と述べているからだ。世界のリアリティのみずみずしさ、鮮烈さ、あるいは穏やかさを感じるためにも、触覚的、音響的なイメージとして、そこを形象化することが求められる。音楽作品、言語作品、さらには写真や絵画といった視覚芸術、パフォーミングアートでリアルなものがありうるとしたら、それはすべて、触覚的な言語の探求に向かうことになるだろう。

機械化と解放

人間が自ら崩壊させた既存の人間的生活世界以後の新たな世界の起点となりうる「音響的な平滑空間」のイメージが、かくして描き出される。コールブルックが論文の最後でモーテンを論じるとき、そこで描き出されるのも生活世界の崩壊後の未来世界のイメージだが、それもまた音響的な世界である。コールブルックは、モーテンの思考を「黒さ(黒人性)」と「抑留されること」をめぐる「新しい対抗的美学」と捉えたうえで、彼がその諸々のエッセーで論じてきた作品群に共通している「音楽的な形式」を次のように論じる。

> これらの作品の音響ないしは歌は有機的ではないし、純粋な創造性を放つべく身体から自由になった音響でもない。作品および作家の身体は、モーテンが「黒さ」と言い表すものに背く。それは徹底的に分散的で、単一の手や意図に発するのではなく、その記憶手段——レコーディング——そのもののせいで破綻している。〔…〕音楽的な本来性や近しさの観念は朽ち、その結果、新しい自由を露わにする。それは無からの(ex nihilo)純粋な創発と創造の美学ではない。「逃避」の美学の形式である。それも、自分自身のものではない空間と構造において発生する、「逃

避」の美学である。(Colebrook 2018, p. 32)

ここでは二つのことが言われている。

(1)コールブルックがモーテンの思考に見出す「黒さ」は、モーテン自身の肌の色であり、つまり、白さに対する黒さを意味するメタファーと考えることができるだろう。ただし、コールブルックは、モーテンのいう「黒さ」にかんして、黒人という人間の本質をなすアイデンティティの純粋性を意味するだけではかならずしもなく、一種の空間、つまりは何かが起こるところとしての都市的な空間にかかわるものとして読み解くことが可能であるという。そこは単一の意図の産物――ユートピア的な理性主義的計画の産物――ではなく、徹底的に分散的で、様々な人や事物で溢れかえる、一種のカオス空間である。そして、この空間の形成においては機械装置が重要である、とコールブルックはいう。後に論じるが、コールブルックがドゥルーズとガタリを注釈しつつ述べていることを参照するなら、コールブルックは電子音楽との関連でモーテンを読んでいることがわかる。

(2)徹底的な分散性を特徴とするカオス空間では、新しい自由が可能である。だが、それは何もないところからの創発または創造ではなく、壊れた事物が散乱していく状況の只中での、逃避としての自由である。逃避は自分自身のものではない空間で起こると言われるが、これが意味するのは、壊れる以前に保たれていた生活世界の空間が壊れることにともなって起こる解放でもある。

既存の生活世界の破綻において事物が溢れ、それとともに、人間もそこから解放される。

音響性の分散は、人間が自分たちの生活世界をつくりだすことに先行する未分化のカオスではない。生活世界がつくられたものの、そこで価値観が単一化されて硬直的になり、閉塞感が漂うなかでそれが破綻し、破綻にともなって廃棄されたものが散乱しているところに生じる集積体である。

モーテンがベンヤミンの「自然史」にかんするサントナーの議論を論じていたことを想起されたい。生活世界の廃墟化において「人間の歴史の人為的産物が生の生き生きとした形態のなかで居場所を失い始める、まさにその瞬間、無言の自然な存在の相を得ることになる」とモーテンはいい、ここに「地下世界における生の執拗なはかなさ」を感じ取る（Moten 2018, p. 47）。モーテンのいう「音響性」は、この執拗なはかなさにおいて感じ取られるもののことである。すなわち、自然世界から切り離されたところに成り立つ人間の生活世界が破綻して廃墟に移り変わる、まさにその「あわい」の時空に生じるもののことである。

だが、ここに生じる生の執拗なはかなさは、破綻以前に保たれていた生活世界で通用する感性や思考枠組みをすり抜けてしまう。ゆえに、この生の場において新しい生活様式をつくりだすには、感性と思考枠の更新が要請される。コールブルックは、モーテンが生活世界の破綻の状況を記憶の機械的方式に関連させていることに着目する。それは、レコーディング、つまりはカセットレコーダー、ＩＣレコーダー、さらにはマイクロフォンのような録音機器によって機械的に記録された音である。これら無数の機械音の分散状態を記録しサンプリングして集積していくところに成り立つ作品こそが、モーテンのいう「黒さ」としての空間に響く音響性の具体化である。

さらに、機械的な記憶装置が再生する音響は、身体から素直に発される声や自然な環境音では保たれていた純粋さを失っている。ゆえに、黒さにおいて鳴り響く音響世界は、生身の身体に対して、異質で、馴染まないものに満たされている。生身の身体と、分散状態にある音響世界のあいだには、溝がある。モーテンのいう音響世界は、事物の世界でもある。「上演状態にある事物」の世界が、黒さの世界として、生身の純粋性を失って散乱している事物の世界として存在している、ということでもある。音響は、生身の身体が消えたあとにも、世界において鳴り響いている。それは、生身の身体から解放されているかぎりにおいては物質としての音響だが、生身の身体の不在において上演されている状態にあり、そのかぎりでは音響は身体性なき情動性をたたえていて、そこにある生身の心身を触発していくこともあるかもしれない。

身体なき情動とはなんだろうか。それは、人間の生活世界が崩壊し、事物が散乱するなか、人間が不在になった世界に漂う痕跡的な情動である。それが音響的なものとして生じている。人間不在の世界に鳴り響く音響は、人間から解放されて自由になった物質としての音響である。コールブルックは、ここに機械装置がかかわっていることを重視する。モーテンの事物にかんする思考の基本には、機械化（録音装置、シンセサイザー、コンピューター）以後の音楽があるが、そこにコールブルックは共感している。ドゥルーズとガタリが電子音楽を論じた箇所[1]にかんして、コールブルックは次のように述べる。

機械は音の生産のために使われるのではない。なぜなら、音にはそのもの自体の生を帯びた力がそなわっているからだ。それは機械状の生、すなわち身体と生存から解放された生としての機械状の生である。音楽は、メロディの展開ではなく、音が存続し、消え、転調とともに回帰し、消滅していくことを可能にする。音とテンポの空間化のおかげで、宇宙（純粋状態における時間）の持続に直接触れる物体の流れを経験することができるようになる。（Colebrook 2018, p. 20）

機械は、音を人間から解放し、音が人間世界から離れたところにおいて存続し、鳴り響くことを可能にする。人間の主観、意識、恣意的な意図といったものから音を解放し、そのことで音にある音響的な物質性の純度を上げていく。かくして自由になった音は、人間不在の世界、つまりは人間化を逃れた世界における物体の動きを経験させてくれる媒質になる。人間化されてしまった世界の時空から逃れたところにありうる世界における居住可能な場の条件が、ここに作品化されている。

機械が音を人間化された世界から解放し、そのことで人間をも人間化された世界から解放する。事物も、動物も、そして言葉や思考、感性も、人間化された世界から解放されていくだろう。もしかしたら、人間化された世界から最初に解放されるのは、機械そのものなのかもしれない。

これまで機械は、世界を対象化し、客観的な事物、つまりは操作可能な事物として把握し、コントロールするための手段として考えられてきた。世界の時空を人間的尺度に従わせるための手段として考えられてきた。機械をつうじた世界の時空の人間化ないしはコントロールは、人間生活そのものにまで及んでいく。『生きられた家』で、多木浩二は「人間自身がつくりだした時間が、商品の法則のように人間を拘束してもいる」と述べた。「たとえば日常生活のなかにテレビが占める度合が大きくなると、テレビの時間のリズムが生活の枠組みだということも起こりかねない」（多木 二〇〇〇、一九六―一九七頁）。この状態から逃れたいと願うのであれば、私たちはとりあえず、日常生活の空間からテレビを排除するだろう。テレビが発する音声と映像が生活の場に入り込むのを阻止したらいい。だが、たとえ一つの家の内部でテレビが消滅したとしても、テレビがこの世界に存在し、人間生活の枠組みを定めるという全体的な傾向そのものは、なおも存続するだろう。そして、私たちはテレビ的なものにすでに浸透されてしまっている。テレビが存在しない世界に戻ることはできない。機械が存在しない世界に戻ることもできない。

テレビが存在していることの根本には、機械が世界を対象化し、客観化し、人間的なものとして手懐け、コントロールするための手段にされる、という問題がある。ドゥルーズとガタリは、この状態に対して、機械を破壊するのではなく、人間化されてしまっている状態から機械を解放し、さらに人間をも、人間化された世界から解放するという見通しを示した。それは、機械が世界から人間化されることのないもの――その最たるものが音響である――を抽出し、それが純粋状態で、透明で汚れない状態で存在することを許してくれる作品の形成を促すことで可能になる。

それは、どのような作品だろうか。私は、二〇一八年末にロンドンのテート・ブリテンで、シャーロット・プロジャー（一九七四年生）の映像作品「BRIDGIT」（二〇一六年）を観た。これはiPhoneで撮影された映像作品である。プロジャーが寝ているベッド、そこに寝ている自分の足、部屋、部屋のなかを歩き回る猫といったきわめて私的で親密な世界と、スコットランドの巨石、電車の窓越しに撮影された農村地帯の風景や船からみえる海、海辺に佇むたくさんの海鳥たちの映像といった人間不在の世界の両極で構成されているのだが、その映像とともに、自分の日常経験（自分が働くバーでDJをしていた合間にトイレに行ったら「女子トイレに男性がいる」と、ある女性が自分を見て言った、というような微細なエピソード）がナレーションで語られ、ときにサンディ・ストーン（一九三六年生）の著書（Stone 1996）からの引用と、それについての哲学的な考察が語られる。

私は島で、サンディ・ストーンが一九九四年にヴァーチャル・システムと人工装具としてのテクノロジーについて書き、いかに脱身体化された主観がどこかの場所に触れていくかについて書いたものを読んでいる。〔…〕サンディ・ストーンは、帯域幅と現実について論じている。ホットな媒体には広い帯域幅があり、クールな媒体には狭い帯域幅がある。狭い帯域幅へと参加することで（たとえば、そのときには、スクリーン上のテクストだけのコンピューターをつうじたコミュニケーションによって）、私たちは何らかのやり方で、いっそう深く、強迫的にかかわることになる。

「BRIDGIT」は、プロジャーの身体をとりまく世界をめぐる作品である。だが、プロジャーの身体、つまりは世界において存在する身体をめぐる作品でもある。つまり、世界は対象化されていない。プロジャーという「私」がそこ「において」存在しているところとしての世界であり、この世界を、iPhoneという現代においてはありふれているがきわめて高性能な機械（クールなヴァーチャル・

システム）で捉えていく。私をとりまく世界は、私的かつ親密な世界と広大な世界の二つであり、この二つがiPhoneのカメラで記録されていく。iPhoneのカメラという私的で狭い人工装具が、とりまく世界への深くて強迫的な関与を可能にする。私は公共圏という広い帯域幅を備えた領域から逃れている。

作品の主題は何か。それは一言でいうと、この時代において私とはなにか、この世界で私はいかなるあり方で存在しているのか、という問いをめぐるものである。私室のなかにいる作者の身体の断片、作者の生活の断片と、巨石や海。いずれにおいても、作者の「私」は既存の社会から切り離され、そこから放り出され、ただ一人で存在している。私室というきわめてシンギュラーな存在の仕方と、巨石や海という地球的なものと孤独に対峙する存在の仕方。この両極的な存在の仕方は、作者が作品のなかで幾度となく話題にする「グリッド」を問題化するものだ。すなわち、「グリッド」は、男と女を分かち、病人と健常者を分かち、名前によって人を社会のなかで個人化し、主体として構築する装置である。グリッドのなかで人は個人になるが、この個人化はグリッドが区切り、個別化し、固定化された「私」へと人を構築していく果てに達成されるものである。プロジャーは、そうやってグリッドで区切られ個人として確定されてしまうことからの逃避を作品において試みている。

その冒頭、「それはあなたについてのすべてであり、あなたのあらゆる部分である。だけど、あなたはそこにいない」というプロジャー自身のナレーションが聴こえる。そして、何度か、唐突に飼い猫の映像が出てくる。黒猫である。猫は、ミステリアスで、よくわからないものとして出てくる。けっしてかわいくはないが、いつ逃げてしまうかわからない、という猫そのものの気まぐれな感じが、その映像には漂っている。猫の映像も、この言葉との関連で考えることができるだろう。猫の断片は、「私」へと統合されることがなく、そこから逃れる運動性としての断片である。断片は、グリッドに統合されて安穏としている「私」から逃れ、「私」ならざるものと交錯していく。「私」ならざるもの。そこには猫も含まれる。

テート・ブリテンの会場で配布されていた解説文（「ONLY」）には、次のように書かれている。作品は、身体を内的なものとして提示する。それは「市民的というよりはむしろ動物的で、社会的というよりはむしろパーソナルである。私的なところにおける現前性の状態を描き出す。存在すること、息をすること、聞くこと、治癒すること」。ただし、この身体は、ただ私的な領域のなかに素朴に存在するのではなく、社会のなかにある場所を占めている。「個人を抽象化する、一般化されたコードに従って構造化された、制度的空間」を占めている。

この文章を踏まえていうなら、プロジャーの断片化の試みは、ただ存在し、息をし、疲弊した状態から治癒し、回復していくものとして自らの身体を捉えなおそうとする試みだといえる。それはグリッドのなかにいるせいで損傷した状態からの回復ともいえるが、その回復は、自宅のベッドでラジオを聴き、息をすることや、巨石を前にして瞑想することといった断片的なエピソードを自分自身で確かめ、その諸々の断片を自分においてつなぎ直し、グリッドに統合された「私」とは別の自分に向けて再編成していくこととともに進行する。

そこで重要なのは、黒猫である。プロジャーの自室にいるので、おそらくは飼い猫だろう。身近な存在としての飼い猫だが、この猫が、プロジャーを見ず、何か別のものを見ている様子を写した映像の断片には、猫そのものというより、プロジャーという主体をも逃れ越えたところにある「生きていることの確かさ」が漂っている。猫がプロジャーという「私」を崩し、そこにとらわれていた「私」ならざる何ものかを、「私」の外へと連れ出していく。

「それはあなたについてのすべてであり、あなたのあらゆる部分である。だけど、あなたはそこにいない」――つまり世界には、私と照応関係にある諸々の断片が散らばっているが、それでも、諸々の断片を一つに統合する強い主体としての私はじつはそこにいない。解説文の「ONLY」には、プロジャーにとって大切な詩人ナン・シェファード（一八九三―一九八一年）の言葉が引用されている。

事物のことがわかるということ。それは丘を歩き、光の変化、霧、暗闇を見て、自覚し、精神を導くために己の体の全体を使うことだ。それは己の存在を解体する。私は、もう私自身ではなく、私を超えた一つの生の一部分である。

ここで私は、公共的な世界から逃れている。私は、広い帯域幅の公共世界から離脱し、私的世界で内省しているが、そのことで人間世界から遠く離れたところに広がる自然世界、地球的事物へと開かれていく世界に抜け出ている。重要なのは、iPhone のビデオカメラである。直接的に身体に帰属しない機材であるが身体の自然な延長物（人工装具）として作動する iPhone が、部屋の猫、暖房機器に干されたＴシャツ、ベッドに寝そべる身体、そして電車の窓外にみえる田園風景、船の外に広がる海といった諸物と呼応し、照応していくなかで、私は私から抜け出し、私を規定する既存の社会的諸関係から抜け出ていって、地球的事物の世界に入り込んでいく。

地下的共同世界（アンダーコモンズ）

人間化された世界から、事物が逃れていく。人間化された世界が壊れ、崩壊していく過程において、人間世界から事物が逃れ、散乱していく。そこで起こることを、モーテンは次のように言い表す。「人間の歴史の人為的産物が、生の生き生きとした形態のなかで居場所を失い始める、まさにその瞬間、無言の自然な存在の相を得ることになる」。人間世界から見るとき、その崩壊とともに外部へと散乱した事物は、人間世界に居場所を失い放擲されたものとして捉えられることになる。事物は排除されるか、もしくは改めて包摂され、再利用される。だが、人間世界外の視点から見るとき、事物は定まった人間世界の終わり以後の別の世界の始まりに存在する原初的なものとして捉えられるのではないか。

モーテンは、これを「再物質化（rematerialization）」と表現する。そして、再物質化をめぐる考察を、彼のかつての師であったマサオ・ミヨシの論考「建築の外部」を読解しつつ行う。モーテンは次のように述べている。

居住、すなわち住むこと（inhabitation）は、ミヨシが建築の外部として描く運動性である。よりはっきりいうと、彼が語る建築の再物質化（rematerialization of architecture）は、建築の本当の消滅をもたらすことになるだろう。（Moten 2017, p. 190）

英文学の研究者であるミヨシは、Ａｎｙ会議（一九九一年から二〇〇〇年にかけて行われた、建築と哲学の対話のための会議。ピーター・アイゼンマン、磯崎新、イグナシ・デ・ソラ＝モラレスが中心となって立ち上げられた）の第五回「Anywise」（一九九五年）に参加し、「建築の外部」という論考を発表している。ミヨシは建築の事物性を「使用者」または「住人」の立場から考えた。

　川崎と基隆〔台北の北にある港町〕の路地には、いかにひどいものであれ、まだ住宅と団地がある。それらが居住不可能であるか否かは、あまり性急に判断されるべきではない――とりわけ、そこに住んでいるわけではないものにとっては。(Miyoshi 2010b, p. 157／三五頁)

ミヨシの議論は、グローバル資本のもと、都市が更新されていくなかで増えていったポストモダン建築に対する批判として読むことができる。この批判は、建築の外部、つまりは普通に人が生活しているところからの批判である。建築家が建てた建築物をもその部分とする拡がりとしての都市のなかで営まれている実生活の観点からの批判である。ミヨシの考えでは、大規模再開発の対象とされることなく地味に住み継がれてきたところに建ち並ぶありふれた建物のなかで実際に人間は生活してきたし、多くの人生がそこにはある。

　ミヨシは、ありふれた日常の建物を理論的に捉える。すなわち、日常の建物を詳細に物語るのではなく、建築的な思考と言葉とテクストとイメージの関連で捉えられる建築に対するコンテクストとして捉えることで、建築的な思考と言葉そのものに揺さぶりをかけ、破綻させようとする。それをミヨシは「建築の抹消」と表現している。それは「建築を、それをとりまく物質的なコンテクストへと連れ出すこと」である。

ミヨシのいう「物質的なコンテクスト」は、「建築の言語やテクストや言説にはほとんど参加することなく普通に働く人たちが生活し仕事をしている外部の空間」を意味している。建築的な思考と言説とはかかわりなく存在してしまっているものとしての「建築の外部」のようなものがあるとしたら、それは日常生活の生々しさそのもの以外の何ものでもない。建築系の雑誌やウェブメディアに掲載されている建築は、雑誌のなかでは建築として自律できていても、雑誌の外の現実世界では、雑居ビルや駐車場、神社、常連客しかこない喫茶店のような、普通に生活する人が出入りする建物や施設にとりまかれてしまっている。

さらにミヨシは、建築をその外の空間に「連れ出す」という。これは、普通に生活している人たちが存在しているコンテクストに向けて建築を「開く」のとは異なっている。建築を開く――この言葉は今や建築の世界では常套句である。窓の形を調整して内部と外部の相互性を確保したり、庭と街路のあいだに共有スペースをつくったり、建築の内部に共有スペースをつくって街の人にも気軽に立ち寄ることができる場所をつくったりすることで、外部に「開く」。そうやって閉ざされた空間を外部に開くことに対して、ミヨシは建築そのものを、建築とはかかわりなく存在してしまっている日常世界の只中に連れ出そうとする。そこで私たちは、建築メディアとは相関しないところにおける住むこととしての生活のリアリティに圧倒され、途方に暮れることになる。

モーテンは、ミヨシの思考を、建築を再物質化するものとして高く評価している。再物質化とは、一つには建築が建築メディアの内部において脱物質化されてイメージになった状態（写真、映像、批評言語で把握されてしまう状態）から抜け出すことを意味する。建築に実際に住みつくことで、それを現実世界へと逃れさせてしまうことである。雑誌のなかに存在している建築は、完成直後の建築である。日常世界の現実にまみれ、圧倒されてしまうことのない、汚れなき建築である。汚れなき建築は、日常世界で使われ、住まわれてしまう。その過程で、日常の汚濁にまみれ、使い古されていく。これがミヨシのいう建築の再物質化であり、建築の消滅である。

建築の再物質化は、建築を語り解釈する言葉とテクストの重石からそれを逃がすことである。そのかぎりにおいて、現実の都市で、高尚な建築の議論とは無関係に、まっさらな状態で存在することを意味している。ミヨシは、そこを「建築の言語やテクストや言説にはほとんど参加することなく普通に働く人たちが生活し仕事をしている外部の空間」と表現したが、彼のいう「普通さ」は、理論的考察の徹底化の果てに見出された、脱物質化の極限においてほのめかされるものとしての普通さであって、日常生活を営む人たちの素朴な話をただ聞いて収集するのでは到達できない理論的境地から発された言葉として受けとめることが求められる。それは建築を語る公共圏を離脱したところに見出されるが、ミヨシが独自なのは、この日常の普通さを物質的なものとして語る点である。

モーテンは、ミヨシが感知する世界の物質性は独特の理論的イメージとともに思考される、と主張する。それは「街路で遊ぶ子どもたち」である。「子どもたちは、建築的な言説の外側で遊んでいる」。たしかに子どもたちは、建築を、遊び場や遊具の観点から把握する。街路や広場といった共同的な遊び空間の延長線上に建築がある。重要なのは、走り回ることができるか、隠れることができるか、楽しむことができるか、といったことで、有名建築家が建てたかどうかは関係がない。

ところで、「遊ぶ」という言葉は英語では“play”だが、これをモーテンは音楽や演劇との関連で捉え直していく。“play”は「上演」や「演奏」を意味する言葉でもある。音響性の空間あるいは何かが起こるかもしれない潜在性の空間を動かし、そこに生命的な状態を発生させるパフォーマンス的行為の最重要の営為を意味する言葉である。

モーテンは、そこで起きていることを「上演状態にある事物」と表現する。街路で遊ぶ子どもたちが生じさせる生命的なパフォーマンス状況において、事物が上演され、演奏されていく。それとともに、情報過多だが無意味なやりとりが行われている公共圏の形骸性が吹き飛ばされ、裸形となった世界と都市はその物質性において上演状態になる。上演状態にある事物のなかで生きる人たちもまた公共圏へのとらわれから自由になり、高尚な哲学の言葉やテクストの存在と相関することのない世界の存在に気づいて、その物質性、情動性、振動性に触れていくところで、共存の形式を模索することになる。モーテンは、これを「地下的な共同性（アンダーコモンズ）」と表現する。「都市に対抗的で、都市の外部にあり、都市に先立つところにある」ものとしての地下的共同性である（Moten 2017, p. 191）。

モーテンの考えでは、ミヨシは都市を「生が逃れていくところ」として考えている。かつて都市は公共的な空間として考えられてきた。私的存在としての個人が私的領域を離れ、多くの他者と交流することを可能にする開かれた空間として考えられてきた。公共的な空間は、公共領域と私的領域へと明確に区別され秩序化されたところに成り立つものと考えられてきたが、モーテンがミヨシを読みつつ提示する都市像は、あきらかにこれとは異なる。それは、近代的な都市像の外部または底流において想像的に描かれる、地下的なコレクティヴの世界としての都市である。

逃れていくとは、いかなることか。それは、把握できないこと、分析できないこと、知的枠組みを外れていって感覚されるしかないものになることを意味している。コールブルックは、モーテンのいう「逃避」にかんして、次のように述べている。それは「自分自身のものではない空間と構造において起こる「逃避」の諸形態である」(Colebrook 2018, p. 32)。自分のものではない空間とは、自分の存在を無視し、ないものにしてくる疎外的状況のことだが、そのような状況としてつくりだされてしまっている空間において逃避が起こる。モーテンのいう逃避は、もしかしたら自分に対して敵対的で排除的で抑圧的ですらある状況のなかにいることの拒否を意味する。この状況に自分が関係づけられてしまっていることそのものを拒否し、そのうえで、自分が存在することを肯定し、存在感を出すことである。

モーテンは、人種的存在としての身体のことを考えている。黒という身体の色が無視されてしまう状況にかかわる問題である。二〇一八年末にロンドンで私が感じとったのも、黒色の身体が無視されている状況だった。男が倒れても、路上に散らばるマクドナルドの紙くずと等価の出来事にしかならない。

モーテンは、フランツ・ファノン（一九二五―六一年）とW・E・B・デュボイス（一八六八―一九六三年）の研究者であるネイハム・チャンドラーの議論に着目している。それは「黒人には、白人の眼差しに対する存在論的な抵抗ができない」というファノンの見解に対する、「黒には、白に対するパラ存在論的抵抗が可能だが、この抵抗は、まさしくそれが抵抗するということによってもたらされる」という応答である。「パラ存在論」とは、パラ言語（リズムや音量や声質や顔の表情など、文字情報では伝わることのないものを含めた言語）やパラドックス、さらには視差（パララックス）などをともなうものとして存在を問うことを意味するチャンドラーの造語である。チャンドラーのいう抵抗とは、フラットな文字情報に回収できない（ツイッターやフェイスブックでは拡散できない）精妙なニュアンスそのものが私たちの生きているところにおいて消されることなく確かに存在していることを過剰に意味づけしたり解釈したりせず、そのまま肯定することを意味している。チャンドラーの議論にかんして、モーテンは次のように述べる。

> ファノンは、黒人がつねに関係において存在するということができるかどうかに、不安を感じていた。だが、チャンドラーは、（関係において）存在したいという欲望の拒否を許容するだけでなく、それを私たちに求め、そうすることで、この不安を手放すのを可能にしてくれる。
> (Moten 2017, p. 312)

逃避とは、関係の拒否でもある。だが、それは周囲から無関係の孤立状態に自らを追い込むことではない。関係のなさ、無関係性において、存在感を肯定することを意味している。

人は都市に住みついている。だが人は、都市において、都市のなかで、逃れつつ生き、住みついている。逃れつつ住みつくことを直接可能にするところとして、都市的世界は存在している。モーテンは、ミヨシの論考「ボーダーレスな世界?」(一九九三年)の次の箇所に着目する。

ロサンゼルス、ニューヨーク、東京、香港、ベルリン、ロンドンはすべて、「得体のしれない」人たちで溢れかえっている。そして、アメリカの学者たちはこの人たちを現れの複数性としてきわめて手際よく研究しているが、遠くから眺め、専門家にゆだねてしまう前に、まずはこの人たちが何ゆえにそこにいるのかを知る必要がある。この人たちを駆り立てる力はなんだろうか。この人たちは私たちの日常生活といかに関連しているのか。この漂流の背後には誰がいるのか。(ibid., p. 195)

モーテンは、ミヨシの「ボーダーレスな世界?」を、「建築の外部」をめぐる思考に関連させていく。すなわち、得体のしれない人たちが住みつくのは、建築の外部、つまりは情報メディアをはじめとする建築を語り思考する言葉の外部に広がる現実世界であり、この外部世界こそが、現実に集まるところ、つまりは公共的な事物である、とモーテンはいう。そこは得体のしれない人たちが自分たちの「普通ではない生をやりとりする」ところだが、普通さ、ないしは近代的な公共性を逃れてしまったところで生きる人たちにとっては得体のしれなさこそが生の前提条件である。

得体のしれない人たちが住みつくところとしての都市世界。大切なのは、そこで「得体のしれなさ」を否定するのではなく、得体のしれないものとして存在してしまっている身体の物質感を受けとめ、肯定することである。それは、おそらく、自分自身も得体のしれないものとして存在してしまっているのを認めることだが、さらにいうと、自分が生き、住みつくところとしての世界自体が得体のしれない他なるものとして存在していることに気づき、認めていくことでもある。人がもつ身体の生身、原初性が、剝き身において生じている。それが「得体のしれなさ」である。この剝き身としての原初性が刻み込まれ、定着していくところが、住みつくこと、さらには生きることの条件である。それは、身体の生身を否定せず、消さず、漂わせるのを許容する場所であり、そこには地球的ないしは土的なリアリティがある。モーテンはそれを「富の再物質化」と言い表している。すなわち、すでにここにあるにもかかわらず、気づかれることなく無視されているものがある。それは「美しいのにもかかわらず、聞かれず理解もされない、私たちの現在における未来」、「芸術的な現前化の身振りにおいて、しばしば恐怖されているもののアクチュアリティ」である（ibid., p. 196）。

富は、私たちが生きていくこと、それも現実世界にじつは生じているはずの美しさ、未来の予兆を感じ、その存在を信じることを可能にしてくれる条件として、地球的なものとして、私たちに与えられていたはずである。自意識や恣意的なイデオロギー、分析や決めつけを逃れたところに存在する富の領域に私たちは住みついているにもかかわらず、そのリアリティを感じることができなくなっている人は残念ながらまだ多い。富の領域、それも地球的なものの領域のリアリティは、分析や決めつけの所作（これはインターネットで優勢になったＳＮＳの言葉によって増幅されていく）で成り立つ領域に絡め取られた状態の外に広がっているにもかかわらず。

第7章

新しい人間の条件

アーレントからチャクラバルティへ

二〇一八年一一月、米田知子の連作「震災から一〇年」を見た。それは二〇〇四年の作品で、つまり一九九五年の阪神・淡路大震災から一〇年後の神戸の街の写真である。主題は「空地」であった。キャプションには「市内最大の被害を受けた地域」と付されているが、そこにはもう地震の被害の物的痕跡もなければ、その後の被災状況における生活の痕跡もなく、ただ空地がある。それも、被災後の区画整理で更地化され、私有地として区分され、建売住宅が建てられていく過程でできた空地である。空地には、雑草一つなく、まっさらな状態で保たれ、柵で囲われたものもあれば、逆に「売地」の札もなく、ただ雑草が生え、放置されたものもある。いずれも、更地化され、私有地として区分されている。ドゥルーズとガタリのいう「条理空間」の典型である。人間が住むための空間に作り変えられ、人間的尺度に従わされている。

だが、後者の空地は、雑草化している。もちろん、いずれは私有地として購入され、まっさらな状態にされてしまうのかもしれないが、それでも、少なくとも米田が撮影した時点では、空地は雑草化していた。雑草は、空地が条理化され、人間的尺度に従わされた状況を揺さぶるものとして存在している。あるいは、こうも言えるだろう。雑草は、空地が人間世界の部分として囲い込まれた状態に侵入し、そのことで人間世界として確定されてしまっている状態を揺さぶり、破綻させていく。条理化された空地で排除されている雑草は、それがただ存在するだけで、空地に成り立つ条理的構造を揺さぶる。それは、人間世界と人間ならざるものの世界の境界において、つまりは外縁において存在する。

人新世における人間の条件をめぐるアーレントの思考の意義と限界

ダノウスキーとヴィヴェイロス・デ・カストロは、『世界の終わり』で、近年の哲学で盛んになった人間と（事物の）世界のあいだの境界をめぐる形而上学的な議論には、エコロジカルな危機への不安が反映している、と主張する。彼らの考えでは、この危機は、人間存在の成立のための基本的な諸条件をめぐる考察の根底的な組みかえを要請する。現在の猛烈な変化は「地球というマクロな環境」で起きている。それは「完新世のあいだ人間生活を支えてきた環境的な条件の悪化」である。変化した環境的な条件は、物理的な力として人間に影響を及ぼしてくる。求められているのは、人間世界への地球的なものの侵入を、人間の生存にかかわることとして哲学的に考えることであり、そこで人間が生きていくための条件を新たに考え直すことである（Danowski and Viveiros De Castro 2017, p. 3）。

地球的な条件としての世界を、人間生活を支える不変の背景、客観的で物理的な背景として考えることもできるだろう。そうであるなら、地球的条件は人間によって理性的かつ工学的にコントロール可能な対象であることになる。地球的条件は、定まった容器としての居住空間に造り直され、そこに人間が収容される。

これに対して、現象学的思考との関連で考えるなら、地球的条件としての世界を、人間の生活を成り立たせつつ、そのあり方に影響を及ぼすものとして考えることができるだろう。西田幾多郎は、歴史的実在としての世界を「我々の自己そのものの存在の場所」と考える。すなわち、それは「我々の自己そのものに直接なる、自己自身を形成する歴史的世界である」（西田　一九八九、三一七頁）。あるいは、モーテンは、レヴィナスやハイデガーの哲学を批判的に読解しつつ、地球的世界を事物の世界き、そして活気づける。それは、人間的な生活世界の外縁に、その下部に存在しつつ、人間の生活世界を導き、そして活気づける。

本書は、人間が存在し、生きていくための条件の基礎となる価値観を新たに発案することを目指してきた。そのためにも、人間生活の条件を、事物の世界として存立する開かれた場所——人間的なものと人工的なものの混合体——のようなものとして考えてきた。さらに重要なのは、その脆さである。定まったものと思われている生活世界は、じつは脆くて壊れやすい。すなわち、人間生活を可能にするものとしての条件は、脆さ、定まらなさにおいて一時的に成り立っている。

人間存在の成立の条件の脆さをめぐる哲学的な考察そのものは、新しくない。第二次大戦以後の欧米の哲学的考察は、人間の条件が崩壊し、人間が大量に死滅してしまうことへの危機感、つまりは絶滅可能性をめぐるものだった。アーレントおよびギュンター・アンダース（一九〇二―九二年）は、ナチスの強制収容所、広島と長崎における原子爆弾の投下など、科学技術の展開が人類にもたらしうる災厄との関連で、人間の条件を考えていた。アンダースが述べているように、そこでの課題は「人間の世界が消滅するのを想像することにほかならない」（アンダース 二〇一六、一三二頁）。科学技術の進展にともなって人間の生活世界そのものを消滅させてしまいかねない能力を手に入れた人間たちがなおも生きてしまっている状況において、どうやって居住可能な世界をつくるか——一九四五年以後の哲学における重要な問いの一つが、これだった。

人新世の時代における人間の条件の哲学的な問い直しは、アーレントたちがおこなった考察を再構成したものといえるが、新たな展開でもある。地震、干魃、山火事、水没といった出来事は、人間世界の基本構造を、人間的尺度を離れたところに広がっている地球的世界のなかで設定しなおすことを私たちに迫ってくる。

だが、そう考えるのは難しい。モーテンの指摘にもあるように、人間の生活世界と事物の世界の境界の危機は現代における重大な思想的課題の一つであるにもかかわらず、哲学的な思考は事物の世界を遠ざけ否認してきたからである（Moten 2018, pp. 11-12）。それでも、この境界が事物の世界のほうから侵食され、破られてしまうことがありうる。それは、人間の世界としてかたちづくられている何ものかが壊れてしまうことであり、そこで生きている状態そのものが根本から破綻することを意味している。長期的に考えるなら、この破綻可能性を見据えつつ、人間世界の設定を基本から見直すことが求められる。

ところで、現代のエコロジカルな危機において、アーレントの人間の条件にかんする考察が再発見されようとしている。チャクラバルティが述べているように、重要なのはアーレントがスプートニク号の打ち上げ（一九五七年）を人間の条件における根本的な変化の予兆として捉えたことである（Chakrabarty 2012, p. 15）。すなわち、『人間の条件』（一九五八年）の冒頭で、彼女は、スプートニク号の打ち上げにかんして「人間が地球に縛り付けられている状態から離脱していくことへのはじめの一歩」（Arendt 1958, p. 1／一〇頁）と述べている。アーレントは、人間中心的な観点にとらわれていたため、この出来事を、人間が地球的なものから離脱し、地球的なものを自由にコントロールする主体になっていくこととして解釈した。だが、スプートニク号の出来事をめぐるアーレントの考察を、人間と地球のあいだにある距離にかかわるものとして捉えることもできる。そこで発見されたのは、生活世界と事物の世界の差異であり、隔たりである。

人間は、人間の生活世界から隔てられたところに実在する惑星的な条件としての地球において、自らの居住のための場をつくりだし、そこに住みついている。地球という惑星は、人種や性、国家や階級、宗教や政治的イデオロギーにもとづく分割線が引かれることに先立って、客観的に存在している。重要なのは、様々な人間が共存しつつ生きていくための形式と方法を、この惑星的な拡がりの開放性において発案することである。そのためにも、私たちの存在の条件を、外縁または下層にある事物の地下世界にとりまかれ、そして支えられるところに成り立つものとして考えていくことが求められる。

アーレントは、人間世界そのものが、人間的尺度を超えた他なるものとしての地球的条件との接触のなかで形成されていることについても、じつは考えていた。人間世界が崩壊と隣り合わせの状態で成り立っていることをも、潜在的には考えていた。さらに、人間世界が事物の世界でもあることを考えていた。それでも、アーレントは、事物の世界を、人間活動によって生産された事物として捉えてしまう。そうなると、人間世界の外側にある自然の事物の存在がないがしろにされてしまう。彼女の理解では、事物の世界としての人間世界は、自然の事物から切り離された人為的制作物である。

これに対して、私は次のように主張したい。現代のエコロジカルな危機の時代においては、人為的制作物の首尾一貫性が揺さぶられているだけでなく、破綻の瀬戸際にある。私たちは、人間存在の条件が地球的な事物との矛盾的関係において成り立つ場所のようなものであることに気づく。人間は、互いに矛盾しつつ存在する二つの世界に同時に住みついている。地球的な事物の世界は、人間世界をとりまくものとして存在するが、それでも二つの世界は互いに異なる。つまり、人間は、人為的制作物としての世界だけでなく、地球の事物の世界によって条件づけられている。

人間の条件における根本的変化

活動的な生が営まれているところとしての世界そのものは、人間活動によって生産された事物で構成されている。だが、たとえ事物がその存在のために人間に多くを負っているとしても、それらが作り手としての人間を条件づけている。生が地上の人間にもたらされていくところとしての条件――さらに、部分的には、生をもたらしてくれる条件――だけでなく、人間は自分たち自身の、自前の諸条件をつねに創出している。人間に由来し、それゆえに可変的でもあるこれらの諸条件には、自然な事物と同様の条件づける力が備わっている。（Arendt 1958, p. 9／一二頁）

アーレントは、人間は真空では存在し得ず、条件づけられることで存在できるようになる、と考えていた。人間は、条件づけられたあり方で世界に住みつく。すなわち、人間は「条件づけられた存在である」。条件づけられるというこの言葉は、理論的な観点からみて重要である。すなわち、新しい共存の形式を発案するという理論的課題を考えるとき、まずは人間を条件づけられたものと考えることが起点になると思われる。アーレントは、おそらく世界を、人間存在に先行する超越論的なものとして考えている。それはすなわち、世界は、人間存在を条件づけるものであるかぎり、人間が行為し経験することに対して論理的に先行している、ということである。つまり、条件づけられた存在として生きるというのは、人間の外にあり、人間に先行している他なるものとしての世界に住みつくことを意味する、ということができるだろう。[1]

アーレントの考えでは、条件づけるものとしての世界は事物で成り立っている。すなわち、人間の共存形式としての政治的公共性は事物によって支えられている、ということである。人間の共存形式は、人間の実践、相互行為の領域であるが、それは客観的条件としての事物の世界によって支えられている。かくして、アーレントの思考は人間を条件づけるものの事物性に迫っていたといえるだろう。それでも、事物の世界にかんする彼女の考察は不十分である。というのも、アーレントは世界の事物を「人為的なもの」として考えていたからである。それは「あらゆる自然の環境から明確に差異化されている、人為的な事物の世界である」。

アーレントは、人為的産物としての事物の世界は自然的事物から区別される、と述べている。それはまず、人間がつくった世界が、作り主としての人間の存在を支え維持する条件として構築されることを意味する。言い換えると、人間の存在のための条件は人間活動でつくられた事物として存在しているが、そのかぎりにおいて、人為的な事物の世界は、それをとりまく自然から切り離され、境界で隔てられ、人間的な世界として確定されてしまう。

アーレントは、人為的な世界と地球的な事物の差異を、二つの世界を切り離す境界として考えている。私が考えてみたいのは、この境界ははたして、ただの切断線なのか、ということである。モーテンの考えでは、現代の哲学の課題は人間の世界と事物の世界の差異を明確にすることだが、彼のいう差異の明確化とは、そこに生じる境界的なものをはっきりさせていく思弁的営みを意味していると思われる。すなわち、彼は事物の世界を「生活世界の外縁において埋められた事物の地下世界（アンダーワールド）」と捉え、人間世界を裏から導くものと考えるが、この場合、差異は人間世界と地球的事物の世界の境界であり、外縁的なものとなっている。それに対して、アーレントのいう事物の世界は、自然世界から切断された状態でつくりだされたものであり、人間の生活世界の構成部分としての人為的産物と見なされている。この場合、「地下的事物」、つまりは「地球的な事物」の側面が消されている。

地球的な事物の消去は、自然的なものに対する一種の不信、無視に裏付けられている。すなわち、彼女は「人間存在を条件づけるものとならないかぎり、事物は互いに無関係のものの寄せ集めでしかなく、つまりは非世界（non-world）である」（ibid., p. 9／二二頁）と述べている。非世界的であるとは、つまり、自然の事物がそれだけで世界を形成することがないということである。それでもアーレントは、人間存在が地球的な側面に条件づけられていることに気づいていた。先の引用で彼女は、人間によってつくりだされた条件が自然と同等の力を持つと述べているが、この見解は、人間の条件がただ人間の産物というだけでなく、地球に根ざしたものであることを暗に示唆するものとして捉えることもできる。

実際、アーレントは次のように述べている。

地球は、人間の条件の本質そのものである。そして、私たち皆が知るように、地球という自然は、人間存在に住処（すみか）を与えてくれる点で、宇宙において独自のものであるだろう。そこで人間は、さしたる努力をしなくても、さらには特別な装具がなくても、動いたり息をしたりすること

ができる。(ibid., p. 2/一一頁)

アーレントは、地球という自然が人間を条件づけるものであることを認めている。それは、人為的産物から切り離され、無益なものとして無視された自然とは異なる、人間の生に欠かせないものとしての自然である。しかしながら、アーレントは、人間存在の条件は、自然から区別された人為的産物として形成されることがないかぎり不十分である、と主張する。その前提には、自然過程は人間世界を衰滅させるものである、という自然観があった。彼女の考えでは、人為的な構築物は、使用し維持管理しないかぎり、荒廃し、衰滅してしまうが、人為的構築物の衰滅は「全体としての自然過程に戻ること」を意味する。そのことは椅子を論じたところで明らかになる。

もしそれがそのままで放置され、のみならず人間世界から放擲されるなら、椅子はまたもや木になり、そして木は衰滅し土に戻るが、木はまさにこの土から生えてくる。ただし、木が生えるのは、それが人間によって働きかけられ、何ものかへとつくりだされていくための素材となるべく切り倒される以前の時点においてではあるが。(ibid., p. 137/二二四頁)

アーレントの考えでは、人間の生活世界の構成部分としての椅子は、自然の容赦ない衰滅過程に対抗しうるものとして構築されなければならない。事物の世界の客観性は、自然という衰滅の過程から切り離されたものと見なされているが、アーレントがこうも切断にこだわるのは、人間の生活世界の安定性を熱烈なまでに欲していたからだと思われる。かくして、人間存在を超えたものとしての地球的な条件がないがしろにされる。自然世界にある、真に自然であるものが、ないことにされる。自然世界は、人間世界から放擲されたものが散乱する非世界として捉えられるだけでなく、人間世界を衰滅させる過程とも考えられている。だから、それは人間世界の安定性のためにも、人間世界から遠ざけられていなくてはならない。

アーレントは、人間の条件を、人間主観から離れたところにある事物的な客観世界として考えようとしている。そのかぎりにおいて、彼女は、人間の生活を、たんに経験の共通の地平としての間主観的領域に埋め込まれているだけでなく、事物の世界に開かれているものとして考えようとしている。だが、彼女のいう事物の世界は、人為的な生産活動の産物でしかない。それは、自然世界の不安定性から逃れて衰滅せずにいることを不可欠の条件とする。

自然世界は、人為的世界の安定性を脅かし衰滅させるものとして考えられている。ゆえに、自然世界は、忌避され、人間世界の外部に追いやられてしまう。そして、人間世界が壊れるとき、その構成部分だった事物は人間世界を離れて自然世界に戻っていくが、それは非世界としての自然への頽落とみなされる。つまり、自然は、世界性を欠落させたただの事物が雑然と寄せ集められたところとして考えられている。

人間世界と地球的事物の衝突と人間世界の不安定化

現代のエコロジカルな危機の状況において、人間生活の条件をめぐるアーレントの議論がじつは見当違いだったことが明らかになろうとしている。すでに述べてきたように、アーレントは、人間生活の条件の安定化のためにも人間世界はそれをとりまく自然から切り離されていなくてはならない、と考えた。人間世界の外側にある地球的事物の世界は、人為的制作物の素材として利用可能なら、人間の生活世界に同化されるのかもしれない。それでも、そこにある本当に自然な要素は排除され、そして忌避されている。だが、現在、人間世界は、それをとりまく自然世界に侵入され、揺さぶられている。チャクラバルティは次のように述べる。

今日、人間が引き起こしている気候の変化は、天気とのかかわりで頻繁に生じる災害をはじめ、資源、金融、食といった惑星規模の多様な危機と一緒になって起きているが、これによって、地球を否認することが、一九五〇年代という楽観的で近代化していく時代においてアーレントには想像することのできなかった事態になってしまったことを、私たちは知っている。(Chakrabarty 2012, p. 15)

アーレントの考えでは、人間存在の条件は地球的事物から切り離されたところにおいて形成される人為的な構築物だが、現代のエコロジカルな変化において、私たちは、地球的事物は拒否しえず否認することのできないものとして存在していることに気づき始めている。それは、地球的な事物そのものが活動的になっていることであり、どれだけ否認し切り離そうとしたところで抵抗してくるものとして存在するようになっている、ということである。否認されてきた事物が、人為的構築物としての人間の条件を揺さぶり、ともすれば崩壊させるものとして存在している。それは、アーレントの楽観論のもとでは、起こり得ないこととされてきた。

ダノウスキーとヴィヴェイロス・デ・カストロも、ここで起きている変化を「西洋の歴史のこの三世紀か四世紀において優勢だった「人間主義的な」楽観論に逆らうもの」として捉え、「歴史の地平から排除されてきた」事態だと主張する（Danowski and Viveiros De Castro 2017, p. 2）。排除されてきたとは、つまり、その存在が無視されてきたことを意味する。この点にかんして、ダノウスキーとヴィヴェイロス・デ・カストロは、人間活動がもたらす環境の変化が人間の条件を不安定なものにするというのだが、それはじつのところ、排除され無視されてきたものが活動状態になり、人間の条件を崩壊させていくことだといえるのではないか。彼らはここで起きていることにかんして「私たちのグローバルな文明の崩壊」というが、そういってしまうのではわからないことがある。というのも、崩壊はただ文明という精神的領域だけでなく、人間の条件という事物的で客観的な領域で起きているからである。崩壊とは、人為的産物の崩壊であり、破綻である。世界のエコロジカルな変容の時代において、安定的なものとして維持されてきた人為的産物が揺らぎ、崩壊していく。

人間の条件の崩壊と破綻を事物としての世界にかかわる事態として考えていくためにも、ここで人新世にかんする科学論文を参照してみたい。「人新世――概念的および歴史的な視座」という自然科学の論文では、次のように論じられている。

グローバルな環境に及ぶ人間の痕跡は、今ではとても大規模で強力なので、地球システムの作動に及ぶ自然の巨大な諸力のいくつかに匹敵するものになっている。(Steffen, Grinevald, Crutzen, and McNeill 2011, p. 842)

この論文では、グローバルな温暖化、土地利用の変化、海洋の酸性化といった自然現象が、人間活動が残した痕跡の帰結として捉えられている。科学者である著者たちは、人間の痕跡を一種の物理現象として捉える。人間の痕跡は、二酸化炭素の排出や都市建設や埋め立てといった人間活動の物理的・物質的産物であり、地上におけるその蓄積を意味している。

だが、人間が地球に刻み込んだ痕跡を人間の実存的条件にかかわることとして考えるなら、それは、まずは地球的な事物の世界への人間世界の進出であり拡張を意味するということにならないか。しかも、それは人間がつくりだす人為的構築物の、地球的事物の自然性から切り離されたところにおける拡張である。人間の痕跡は、自然性を欠落させた人為的構築物が地球的事物の世界に進出していく過程で刻み込まれたものということができる。

そして、この論文では、この痕跡の蓄積が地球の状態を変えるといわれる。地球の変化は地質学的なものでしかないと考えるのであれば、それは自然科学の問題以外の何ものでもない。だが、地球の変化の帰結としての温暖化や海洋汚染は、人間生活に深刻な影響を及ぼすのであって、そのかぎりでは、人間生活の条件への哲学的な問いにもかかわる事態である。

ダノウスキーとヴィヴェイロス・デ・カストロは、私たちが生きるのは「地質的なものと道徳的なものが連動していく時代」である、と主張している (Danowski and Viveiros De Castro 2017, p. 15)。環境的な条件の不安定化が引き起こす人間社会の破綻は、人間生活が政治体制や文化的アイデンティティのようなものを備えた人間世界の外に広がる地球的事物と連動してしまっていることを明らかにする。だが、地球的事物の世界は、自然科学の法則に従うだけのものではない。人間が自らの生存のためにつくりだす人為的構築物によって改変され、人間世界の一部にされてしまっている。つまり、人間的尺度に従うものにされてしまっている。地球的事物は人間世界から排除され、忌避されつつ、それでも尺度に従わされていく、という矛盾した関係がここに成立している。それでも、現代においては、地球的事物は、人間世界が設定してきた関係構造を逃れ、人間世界の根本条件を脅かすものになりつつある。二〇一八年の「人新世における地球システムの道筋」では、次のように言われている。

重大な問題は、ホットハウス・アースへの閾値を超えてしまうと、安定化された地球の道筋へアクセスすることは人間社会がどのような行動を起こしても非常に難しくなるかもしれない事だ。閾値を超えると、人類が影響を与えたり、制御することが不可能な、地球システム内部の正の自己強化型のフィードバックが、地球システムの道筋の主要な駆動因になり得る。各ティッピング・エレメントがリンクし雪崩れを起こして更に温度を上昇させるのである。〔…〕ホットハウス・アースは制御不可能になりやすい。特に、それが僅か一、二世紀の間に起こるなら、多くの人々にとって危険である。とりわけ、気候変動に脆弱な人々の健康、経済、政治的安定性を深刻なリスクに晒すことになる。究極的にはこの惑星における人類の生存可能性をも脅かすかもしれない。(Steffen, Rockström, Richardson, Lenton, Folke, Liverman, Summerhayes, Barnosky, Cornell,

Crucifix, Donges, Fetzer, Lade, Scheffer, Winkelmann, and Schellnhuber 2018, p. 8256)

閾値を超えたところで発生しうる自己増殖的なフィードバックが、人間の予測と制御能力を超えていく。それでも、人間世界にもかかわりのあることとして起こってしまう。それによって、政治、経済、社会も影響を受け、不安定になっていく。人間は、そこで生きている。たとえ世界が不安定になっても、人間がなおも住みつくところであるかぎり、そこが人間存在の条件である。

人間世界の不安定化を、どう考えたらいいのか。ブルーノ・ラトゥール（一九四七年生）は、『ガイアと向き合う』（二〇一五年）で、人間生活の土台にかんして次のように述べている。

> 近代人たちが当然のものと考えてきた物理的なフレームワーク、すなわち、その歴史が繰り広げられるのを支えてきた土台が、不安定になっている。（Latour 2017, p. 3）

ラトゥールは、現代の環境危機は、近代において維持されてきた人間の実存感覚の支えとしての条件を不安定にする、と考えている。この見解は、人間生活の条件としての土台が、文化や政治や経済といった人為的産物であるだけでなく、地球的・事物的な場でもあることを示唆するものといえるだろう。そのかぎりにおいて、本書と見解を同じくしている。すなわち、ラトゥールは土台そのものが不安定になるというが、この不安定化において感覚されることになるのが地球的なものとしての土台の事物性であり、これが哲学的な思考を批判的に見直すことで把握できるようになるという。そして、ダノウスキーとヴィヴェイロス・デ・カストロが述べているように、ラトゥールのいう土台の不安定化が意味するのは、生存条件そのものの破綻だけではない。近代的な思考の基本設定である自然と人間の区分の崩壊をも意味している。

ラトゥールは、今までのところ、近代を支える区分、つまりは自然と政治のあいだの区分が客観的かつ歴史的に崩壊しつつあることを示唆する証拠を集めてきた。最近の彼は、惑星規模の環境の崩壊を、この区分が非現実的であることのもっとも現実的な帰結であり、もっとも説得力のある証明であると考えている。それは、近代のコスモポリティカルな政府（ノモス）の主たる失敗ともいえる状況をつくりだす。(Danowski and Viveiros De Castro 2017, p. 86)

ラトゥールは、人間の条件そのものの不安定化だけでなく、自然と人間のあいだの近代的な区分を支える概念的な枠組みの崩壊を問題化している。そのかぎりでは、惑星規模でのエコロジカルな破綻状況は、人間と自然の概念的な区分の崩壊を加速させていく現実の出来事であることになる。すなわち、人間と自然の概念的区分の崩壊は、人間と自然を分離する近代的な存在論の改変であり、それらの対立の克服であり、その間の連続性、ハイブリッド的な連関の実現を意味する。ゆえに、エコロジカルな危機は、人間存在に対する脅威であるだけでなく、近代という思想的設定を見直すためのチャンスでもある。ラトゥールの見通しでは、それは人間と自然の二項対立を超えることであり、それが共通世界、つまりは人間的なものと自然的なものが相互に交流していくところである集合体の形成を促すことになる。

これに対して、私は、人間の条件の土台の不安定化は、安定的なものとして定まっていた既存の人間世界の崩壊を意味していると考える。それは、人間と自然の区分という概念枠の崩壊だけではない。安定的な人間世界を成り立たせている境界の人為性の崩壊である。人間世界を支える土台が不安定になる。私たちにはもう自然世界との調和した関係を取り戻すことなどできない。

私たちは、人間世界をとりまきかたちづくる境界の外縁にある、人間ならざる世界の存在に気づく。外縁的な領域で起こりうる、人間ならざるものとの接触は、畏怖すべきものである。なぜなら、それは人間の関心や日常的な意識から離れているだけでなく、人間の尺度を超えているからだ。人間世界と地球的世界の出会いは、侵入的な出来事である。地球的事物の侵入である。そして、人間の条件の新たな創出を導き促すのは、人為的産物の成立において無視されてきた事物である。事物が、人為的産物としての生活世界の外側にとどまるだけでなく、人為的産物に還元されることのないものとして、還元されることに抵抗するものとして存在するようになる。モーテンは「事物は、地下世界に住みついているが、他方では生活世界において、あからさまに、露骨に現れる。ただし、生活世界の外縁にあるものとして、その核心にあるものとして、その空間的時間的な定位力として現れる」(Moten 2018, p. 12) と述べている。これは、おそらく次のことを意味している。すなわち、人為的産物の成立の素材として利用され同化されてしまうことなく生活世界の外縁にとどまっている事物が、じつは人間生活を支えているだけでなく、人間生活のあり方を密かに導いている。

地下世界の事物は、事物であるかぎり、人間の生活世界を構成する人為的産物と同じだと考えることもできるかもしれない。だが、それでも、そこには溝がある。それゆえ、人間世界の人為性の崩壊がもたらすのは、生活世界と事物の世界の連続性ではないし、ハイブリッドな連関でもない。そこでは、人間世界を支えた時空の設定の破綻だけでなく、それが排除してきた地下的世界の事物との衝突が起こる。

チャクラバルティがいうように、アーレントのいう人為的産物としての共通世界は、地球的事物を無視するところで成り立つ。環境危機の状況において、まさにこの人為的産物としての世界が不安定になる。世界の破綻のまさにそのとき、人間生活の条件は地球的事物に侵入される。そうなると、アーレントが定式化した人間の条件についての議論も根本的に変わらざるを得ない。人間世界は、人間的な産物としての事物の世界の外に広がる地球的な事物へと開かれ、浸透されてしまう。人間生活の支えとしての実存的条件は、この拡がりのなかで、それの部分となって形成されることになる。

そもそも、アーレントのいう世界は、人間活動を生き生きとしたものとして存在させるコンテクストである。だが、エラ・マイヤーズが述べているように、それは人間活動の産物として考えられており、しかも人間から区別された、客観的な背景として考えられている。

世界はただの無活性的な背景ではないが、それでも、多くの他の事物のひとつとしての、人間活動の場とコンテクストである。そして、世界としての諸条件は、その多くが人間という行為者によって生産され、維持され、変えられていくのだが、にもかかわらず、それら行為者自身から区別されている。(Myers 2013, p. 92)

たしかに、アーレントは「事物と人間は各々の人間の活動のための環境を形成するが、そのような場がなければ人間活動は無意味なものとなる」と述べている。「私たちが生まれ落ちるところである世界としての環境は、製造された事物の場合におけるのと同じく、それをつくりだした人間活動がないなら存在しないだろう」(Arendt 1958, p. 22/四三頁)。ゆえに、マイヤーズの読解は的確であると考えられる。ところが、マイヤーズは、人間がつくりだすものでありつつ人間を条件づけるものとしての世界そのもののあり方――行為者から区別されたものとしての世界――を問うのではなく、世界を「ケアの倫理」の観点から語ろうとする。「それはただ協同的な民主主義実践の場ないしは空間というだけでなく、まさにその対象でもある」(Myers 2013, p. 92)。この語り口のもと、世界の現実は、西洋的な民主主義の理論、相互的行為と配慮の理論の枠内に回収されることになる。

マイヤーズの理解では、アーレントのいう世界は、人間が集まり、相互行為するための条件であり、その維持のためには、世界への集合的なケア、人間的な配慮もまた求められる。人間は自分たちのあいだにあるものとしての世界に関心を向け、自分たちの生存のためにも保持しケアしなくてはならない、ということなのだろう。

人間は、人間を外から支える背景としての世界に住みついており、それゆえ、おのれの生存のためにも、世界を安定させ、維持していくことが求められる。このことに疑問の余地はない。だが、現代の気候危機は、背景としての世界が不安定になりうるものであることを明らかにしている。しかも、世界の不安定化は、自然世界の人間世界への侵入となって発生している。つまり、人為的産物としての世界は、ただ人間活動との関係のなかにあるだけでなく、その外に広がる自然世界にとりまかれている。世界をケアの対象と捉えるなら、世界の他性、外部性を思考することができなくなる。

私の考えでは、アーレントは、世界に対する人間活動を、たんなるケアというだけでなく、制作的なものと考えている。それは、人為的制作物を、人間生活を支えるためのものとしてつくりだすことだが、他方では、自然世界に対する人間の有無を言わさぬ介入でもある。人間的な世界の形成のための素材を取り出し、人間的な尺度に合わせて作り変え、地球的世界にある自然性を消滅させていくことである。そして、アーレントは、人間の制作活動が暴力的で破壊的なものであることに気づいている。

> 材料とは、すでに人間の手になる生産物であり、人間の手が自然の場所から取り出してきたものである。たとえば、木材になる樹木の場合であれば、破壊してその生命過程を殺さなければならず、鉄や石や大理石の場合であれば、その自然過程は樹木の場合よりもっと緩慢であろうが、いずれにしても地球の胎内を破って取り出さなければならないのである。この侵犯と暴力の要素は、すべての制作につきものであり、人為的産物の創造者は、これまで常に自然の破壊者であった。（Arendt 1958, p. 139／二二八頁）

人為的産物としての世界の創造のためには材料が必要だが、それは人間をとりまく自然世界から収奪される。この収奪は、自然世界への侵犯であり、略奪を意味する。だが、アーレントは、この暴力をしっかり論じていない。人為的産物としての世界の形成が暴力的で、そこで何かが破壊されていることに気づいているにもかかわらず、その破壊がいかに世界に影響を及ぼし、さらには人間に影響することになるかを論じることができていない。

地球的事物の世界の一部分としての人間世界

アーレントは、人間的な共通世界を「死すべき定めにある生のむなしさと、人間の時間のはかなき性質に、永続性と持続性を授ける」ものとして捉えている（Arendt 1958, p. 8／二一頁）。つまり、人為的産物としての事物的世界が、人間存在の実在性と確かさを支えるものになる。死の領域にはみ出しかねない人間の生を、確かに生きているものとして保持するためにも、生の領域を、ただの観念としてではなく、事物的な現実としてかたちづくっておくことが求められる。そこは、むなしさとはかなさとしての漂いの世界から区別された領域である。人為的制作物としての事物は、自然の事物とは区別されている。そのあいだには境界がある。アーレントは、つづけて次のように述べる。

人間世界の現実性、確かさは、私たちが事物によって、すなわちそれを生産する活動よりもいっそう永続する事物によって、そして潜在的にはその制作者の人生よりも永続する事物によってとりまかれている、という事実にまずは基づいている。（ibid., p. 95／一五〇頁）

人為的制作物としての事物には、人間存在を条件づける力が備わっている。私たちは、つくられたものにとりまかれ、支えられることで、自らの存在の確かさを感じ生きていると感じることができる。手触りがなく、ものとしての質感を欠落させた空白的な抽象空間のなかに放置されているかぎり、人間的な生活を営むのは難しい。生活感が乏しくてむなしい生活状況に陥らないためには、住みつくことの可能な、耐久性のある諸事物でできた人為的世界を構築することが求められる。それは、ささやかではあってもまともな生活を営むための、現実的な土台である。

人間存在の現実性が確かな土台にもとづくものとなるためには、椅子やテーブルのような具体的事物に支えられていることが求められる。だが、これらの事物が生じさせる支えの作用は、数値的には測定できない、実質のないものである。すなわち、人間を条件づける感覚的で無形の何ものかは、物理的な実在としての椅子やテーブルから直接的に生じるのではない。それは、音楽における音のように、重量や具体的な手触りがなくて実質がないが、それでも、作品として形成され、かたちづくられることで、人間存在を支えるものとして実在するようになる。

アーレントの考えでは、テーブルのまわりに人が座っている状況は、事物としての人間の条件が何であるかを明確に示している。

> 世界で一緒に生きることとは、それを共有する人たちのあいだに事物の世界があるということを、そもそも意味している。それは、ちょうどテーブルのまわりに座る人たちのあいだにそれが位置しているようなものだ。世界は、あらゆる「あいだ（in-between）」と同じく、人を関係させつつ引き離す。（ibid., p. 52／七八—七九頁）

テーブルは、木材や鉄のような材料でできている。そのかぎりでは、重量や硬さといった物理的な属性を有する、客観的な事物である。だが、人を関係させながら引き離すという作用は、無形で、ただ感じるよりほかないものの領域に属する。この作用は、テーブルという事物があり、人々のあいだに位置づけられていることで生じるのは確かだが、事物から直接生じるのではない。物理的な実質はない。

それでも、テーブルは木材という事物でできており、そのかぎりでは、客観的な自然世界の一部分である。ただし、それは自然世界を無視するところに構成される人為的産物としての事物でもあって、つまり自然そのものとは区別される、人間的な事物の世界の一部分になっている。

アーレントの考えでは、人間は剝き出しの自然へとさらけだされた状態では生きていけない。人為的産物としての世界が、人間生活を安定させるためのものとして、常につくりだされ維持されていることを要する。剝き出しの自然から切り離されたものとして、かたちづくられていることを要する。だから、剝き出しの自然世界は非世界的なものとみなされ、遠ざけられてしまう。

だが、他方で、アーレントは、人間は地球的な自然に支えられていると考えている。アーレントの考えでは、人間存在そのものは「どこでもないところからの無償の贈与」(ibid., pp. 2-3／一一―一二頁)である。そして、この贈与としての生をもたらしてくれるのは「天空のもとにいるあらゆる生き物の母である地球」(ibid., p. 2／一一頁)である。

地球は、人間の条件の本質そのものである。そして、私たち皆が知るように、地球という自然は、人間存在に住処（すみか）を与えてくれる点で、宇宙において独自のものであるだろう。そこで人間は、さしたる努力をしなくても、さらには特別な装具がなくても、動いたり息をしたりすることができる。(ibid.／一一頁)

ここで人間は地球的な条件に根ざすものとして考えられているが、こうしてみると、人間の条件にかんするアーレントの議論は矛盾しているということができる。というのも、地球的世界は人間の条件の本質そのものだと言っておきながら、他方では人間は地球的世界の拘束から離れ、そこから自由になることではじめて人間的になることができる、と述べているからだ。問題なのは、彼女が感知した現実と、それにかんして構成された議論のあいだに生じたズレであり、溝である。アーレントには、人為的産物としての世界と地球的世界の二つが矛盾しつつも一つになって人間を支えているという現実を感じることはできても、その現実を的確に言い表すことができていない。

クリストフ・ボヌイユ（一九六八年生）とジャン＝バティスト・フレソズは、アーレントが直面していた難問を次のように定式化している。

アーレントの見解は、人新世にも当てはまりうる。自然な他性としての地球を完全に占有し、技術的自然（テクノネイチャー）へと変容させるべく、それを消滅させる人間。地球は完全に人間活動によって浸透されるが、それはあたかもホモ・ファベル（工作人）がつくり出すものだけ

が本当に価値があるとでもいうかのようだ。（Bonneuil and Fressoz 2016, p. 61／八五頁）

人間は、その制作活動によって、自然を技術的自然に作り変え、自らの生存条件を創出する。だが、自然は、人間がいるかどうかとはかかわりなく存在し、のみならず、人間が生きていくことを無条件的に支えるものでもある。それを、アーレントは「どこでもないところからの無償の贈与」と言い表した。そのどこでもなさを指して、ボヌイユは「他性」と概念化する。それは、人間の条件の技術的かつ人工的な形成に先行するものとしての他性である。

つまり、技術的自然へと改変されることのない何ものかが自然にはあるということを、アーレントも認めている。にもかかわらず、彼女は、人間は自らの生存条件を安定的なものとして創出するためにも自分たちの目的に合わせて自然を作り変えなければならず、それゆえ自然の他性を消滅させる定めにある、と考えた。

現代のエコロジカルな危機においては、自然世界の他性が完全に消されることなどないことが明らかになりつつある。人間世界は、地球的な事物の世界につきまとわれているだけでなく、脅かされている。そこでは、人間世界と地球的な事物の世界のあいだに引かれた境界が揺らぎ、曖昧になっている。

人間存在の条件の二重性

エコロジカルな危機において、人間生活の条件が揺さぶられている。この状況のなかで、私たちは人間世界がその外にあるはずの地球的事物の世界に浸透されてしまっていることに気づきつつある。そこで起きているのは、人間世界と地球的世界の接触である。この状況にふさわしいものとして、人間の条件としての世界像を描き直すことが求められている。人間世界は完全に自律的ではない。それをとりまく地球的事物の世界を人為的に改変する過程で、人間世界そのものが地球的世界に飲み込まれ、その一部分になってしまった。人間は、人間世界と地球的世界の二つの世界に同時に住みつくようになった。

チャクラバルティが述べているように、これはアーレントには想像することのできなかった事態だといえる。

> 今日の人間は、惑星における支配的な種であるが、ただそれだけでなく、その数と、さらには自分たちの文明を支える安価な化石燃料消費のおかげで、集合的なあり方で地質学的な力になっている。それは惑星の気候を決定するが、それと引き換えに、文明そのものの破損も進行する。今日、重大な問題になっているのは、「世界規模」での「種の生存」そのものである。先に進んでいこうとする政治的思考のすべて――ここにはポストコロニアル批評も含まれているが――は、人間の条件におけるこの根本的な変化を銘記しなくてはならないだろう。(Chakrabarty 2012, p. 15)

チャクラバルティのいう「地質学的な力」は、一方で、人間生活の条件を人為的に創出していく力を意味している。地球的世界の事物を収奪し、それを人間世界の創出のための材料にする。そのことで、地球的世界が改変される。だが、人間が地質学的な力になるということは、人間の存在条件を自分で変えてしまうことでもある。人間が地球的事物の世界に直接介入していく過程で、人間そのものが地球的事物の世界の一部になり、地球的事物の世界のあり方と連動していく。地球的事物の世界が不安定になれば、自分の生存条件も揺さぶられることになるだろう。かくして、人為的産物として創出されたものとしての人間の条件が、危機に陥ることになる。それは、これまで存続してきた文明の危機だが、他方では、人間の条件についてのイメージを新たに発案するためのチャンスでもある。

現在、私たちは、人間世界を人為的に創出していく過程で排除し無視した地球的世界に住みついていたことに気づき始めている。人間は、人間世界を一部分として含みこむ地球的事物の世界において生きながら、人間世界に住みついている。人間世界は有限的で相対的である。それは、人間から離れたところに存在している地球的世界の一部でしかない。

「歴史の気候」で、チャクラバルティは、温暖化をはじめとする地球的条件の変容が人間にとって何であるかを理解するには、人間存在の条件を、社会や政治の尺度を超えた領域、つまりは地質学的で生物学的な領域のなかにあるものとして描き直していくことが求められる、と主張する。

〔温暖化といった〕諸々の帰結は、人間を一つの生命形態として考え、人間の歴史を、この惑星における生命の歴史の一部分として考えるときにのみ、理解可能なものとなる。なぜなら、結局のところ、惑星の温暖化が脅かしているのは、地質学的な惑星そのものではなく、完新世の時代において発展してきたものとしての人間の生の生存がもとづくところである、生物学的で地質学的な条件そのものだからだ。(Chakrabarty 2009, p. 213)

エコロジカルな危機において不安定化しているのは、地球的世界そのものではない。私たちが自分たちの生存のために築き上げてきた、人間世界である。人間世界とそれをとりまく地球的事物の世界の境界が不明瞭になり、崩壊していく。

私たちの存在のための条件を新たに発案するためにも、人間世界にかんする設定を描き直すことが求められる。そのためにも、まずは、無視され傷つけられてきた地球的世界が人間世界に入り込んできているのを受け入れることが求められる。それは、人間以外の存在との相互浸透関係への自覚をうながす事態である。そこでは、人間世界が地球的事物の世界に浸透されていく。

アーレントの議論では、人間の生存の条件は、自然世界から切り離された人為的産物としての人間的な世界とされたが、現代においては、この想定は通用しない。ここで求められているのは、人間の生存条件を人為の産物としては完結しえないものと考え、それをとりまくものとして広がる地球的自然世界の一部分として形成されると考えていくことである。それは、人間関係の領域の支えとしての公共的な領域が人為的産物としての固定性、限定性を失うことをも意味している。日常的な現実感覚の支えであった公共的な領域の存立条件が崩壊し、その創出に際して無視した地球的な事物の剝き出しな自然性に浸透されていく。

かくして、人工と自然の境界が薄れていく。人間世界の確定性が薄れていく。それにともなって、人間の条件としての土台が安定的に維持されているところに統合されている状態から、地球的事物が解放されていく。その過程で、人間世界のなかにいる人たちは、排除し遠ざけていたはずの自然なものの物質性に触れていく。私たちがそこで経験するのは、近代的な人間世界の創出以前に保たれていたと考えられている純粋無垢な自然との出会いではない。私たちは、自然との出会いを、近代的な思考原理の導入以来ないがしろにされ痛めつけられて無視されてきた地球的事物との強制的な出会いとして経験することになる。

人間世界は、人間的な尺度を遥かに超える、広大な世界のなかの一部分として描き直されることになるだろう。アーレントの議論では、地球的世界は人間の公共世界から切り離されていくものとして捉えられていた。それに対して、エコロジカルな危機の高まりにおいては、地球的世界は人間世界を超えながら人間世界をその一部として含みこむものとして描かれる。

人間世界は、切り離され、固定的に確定され、条理化された状態であるのをやめていく。人間世界とそれをとりまく世界との境界は曖昧なものになっていく。さらに、人間世界もまた不安定になっていく。人間世界は、人間世界の外に広がる地球的世界へと放たれていく。それでも二つの世界が、ただ平坦に隔てなくつながるというのではない。二つの世界のあいだの差異が消されるなどということはありえない。差異は、ただ不安定になり、不明瞭になる。

人間世界を、人間の生存に不可欠なものとしての地球的世界へと開かれていくものとして描き出すことができるかどうか——それが問われている。

チャクラバルティは、気候危機の時代における人間を、地質学的な力でありながら政治的行為者でもあるという矛盾した状態で生きているものとして捉えることが求められる、と主張している（Chakrabarty 2012, p. 5）。これを踏まえるなら、人間の条件としての世界をも、人間的でありながら地球的自然でもあるという矛盾した二重的実在として捉えることができる、ということになるだろう。

つまり、矛盾的な二重性が成り立つところとして世界の現実を考えることができる、ということである。アーレントは、世界の二重性に気づいていたが、それを的確に理論化することができず、自らの著作では、地球的自然の現実を無視してしまった。地球的事物の世界の否認は、おそらくアーレントの思考を深層で導く理論的設定ゆえのものである。すなわち、世界は地球的現実から切り離されることではじめて人間の住みつくところになりうるとする、近代的な設定である。この設定が、世界の現実へのアーレントの感覚を制約している。

世界の二重性を思考するには、近代的な思考設定の拘束を逃れ、他の思想的伝統との接点で思考することが求められる。その点で、西洋的な思考の伝統の外側にある東洋の立場に立脚していることへの自覚にもとづく西田幾多郎の「矛盾的自己同一」の論理は、貴重な手がかりになりうる。実際、西田は「場所的論理と宗教的世界観」（一九四五年）のなかで、意識的な行為者としての人間は閉じられた自己として存在するのではなく、「自己を越えて他〔としての世界〕に対する」と述べている。すなわち、自己はただ人間世界の内側に自足するのではなく、自己を越えた拡がりとしての「世界の一つの自己表現的形成点として働く」（西田 一九八九、三〇六頁）。

西田の考えでは、人間は二つの世界に住みついている。一つが生命の世界であり、もう一つが歴史的世界である。西田のいう生命の世界は、人間だけでなく、他の諸々の動植物の生をも含めた広大な世界を意味している。人間の歴史的世界は、生命の世界において、そのなかで、その一部分として存在している。そこで人間は、人間以外の他の生命形態と結びつく。かくして、人間は、人間の歴史的世界を超えた拡がりとしての生命の世界に住みつつ、存在の条件としての自らの世界を人間に相関的な世界として形成していく。

西田はこう述べている。

働くものとは、形作るものである。かかる世界が目的的と考えられるのである。私は私の「生命」論において、生命の世界というのは、物質の世界と異なり、自己自身の中に自己表現を含み、自己の内に自己を映すことによって、内と外との整合的に、作られたものから作るものへと動き行く世界といった。即ち自己自身によってあり、自己自身によって動く世界である。(同書、三〇三頁)

西田のいう「働くもの」は、生命の世界の形成にかかわるものであり、その主語は人間であるとはかぎらない。ゆえに、その形成は、人間がいてもいなくても起こる。生命の世界のなかで、人間は他の生命形態とのかかわりにおいて存在し、活動している。人間の活動は、生命の世界のなかで起こり、生命の世界の内において動く。そして、生命の世界の内にある人間は、生命の世界に対して、他なるものとして活動している。人間は、生命の世界の内で、別の生命形態とそこを共有しているが、そこで人間がつくりだす自らの世界は、生命の世界に対抗的なものにならざるを得ない。つまり、世界は、人間がそこに住みつくところであるかぎり、生命的であるだけでなく人間的なものにならざるを得ない。西田は、それを「歴史的世界」と言い表す。

我々の自己も身体的に、生物的である。我々の自己の働きは、生物的に目的的でもある。しかし我々の自己は、絶対矛盾的自己同一的なる歴史的世界の唯一なる個として、単に目的的に働くというのでなく、目的を知って働くものである、自覚的であるのである。自分自身の内から、真に働くものであるのである。生物的世界はいうまでもなく、物質的世界といえども、歴史的世界においてであるのである。（同書、三〇四頁）

人間は、生命の世界の一部でありつつ、歴史的世界においても住みつく存在である。歴史的世界とは、人間が形成する世界であり、人間との相関関係にある世界だが、これに対して生命の世界は、人間の世界を一部として含みこむ世界であり、それゆえ人間世界を離れ、人間世界に対立してくる他なる世界である。かくして、私たちは二重の世界に住みついている。一方で、世界は人間としての自己が自己において表現することで形成していく歴史的世界であるが、他方でそれは人間としての自己が自己を超えたところにおいて出会うことになる他なるものとしての生命の世界でもある。人間としての自己が生命の世界に住みつくとき、人間世界の内側において完全に自閉していることはできない。人間世界は閉ざされておらず、その外に広がる生命の世界に向けて開かれている。

西田の著書は、私たちが迎えようとしている人間世界の破綻の状況を考えるための基礎になりうる。そこは人間世界だけでは自己完結しえず、人間以外の様々な生命形態が住みつくところである広大な世界に侵入されていく。私が言いたいのは、人間世界と外的な生命の世界が相互的に触れ合う境界的な領域で人間の生存の条件をつくりだすことが求められている、ということである。

人間世界外の地球的現実を、否定せず迎え入れていくこと——それは、近代的な設定にもとづく既存の人間世界の崩壊を受け入れることであるだけでなく、人間世界を境界なき環境としての外的世界にむけて開き、そことの境界的な領域で、べつの世界設定の原理をつくりだすことでもある。この他なるものとしての世界は、人間の歴史的世界に対する客観的な他性の世界だが、西田はそれを生命の世界として考えようとした。私たちは、歴史的世界に対する他としての世界の存在を、地球的な事物の侵入として経験している。だが、それは人間不在の世界ではない。私たち自らの生をも一部とする、生きた世界である。すなわち、それは、人間の生を超えたところに存在しつつ人間世界を他の生命形態とのかかわりにおいて含みこむ、生き生きとした、生命の場としての世界である。私たちは、ここで生きている。

エピローグ　2020. 3. 11

脆さ、定まらなさの感覚——これを自分が本当に存在しているのか定かではないという、ある種の虚しさの感覚と言い換えることもできる。だが、虚しさといってしまうと、戦後日本で広まった豊かさのなかの虚しさとか、買うという行為以外に自分らしさを確信できる方法がないゆえの消費主義的な空虚さを連想させてしまうと思われるので、私は自分の実存感覚を、脆さや定まらなさ、はかなさといった言葉で言い表そうとつとめてきた。

脆さ、定まらなさの感覚は、人間が住みつくところとしての世界のあり方にかかわる。安定的だと思われてきた土台がじつはいとも容易に崩壊しうるもので、しかもその崩壊は、人間の経験や世間知を支えとする既存の尺度を離れたところで起こってしまう。このことに私が気づいたのは、おそらく二〇一一年の震災のときだったが、集中豪雨や巨大台風がもたらす激甚災害が起こるなか、脆さや定まらなさの感覚とともに生きざるを得なくなりつつあることを確信していった。自分が確かに存在しているということの拠り所を脆さや定まらなさの感覚に求めるというのは、なんとも逆説的な事態ともいえるが、ここを起点にしないことには、私が生きているこの世界において発生する諸々の出来事の理解も解読もできないだろう。

脆さや定まらなさは、おそらく私自身の内面で生じているが、この感覚は純主観的なものではない。脆さの感覚は、私の心理という個人的問題ではなく、私が存在しているところとしての世界とかかわりがある。それも、メイヤスーやハーマンの哲学で言われるように、私が存在し思考するということとは無関係に存在しているものとしての世界とかかわりがある。世界は、人間がいてもいなくても存在するが、人間が存在し、生きているうえで不可欠の条件として存在している。脆さや定まらなさの感覚は、世界が人間不在のところとして、人間以後のものとして考えざるを得ないものに変わりつつあるがゆえに生じている、と考えることができるだろう。そうすることで、脆さの感覚を「私たち」の心の問題としてではなく、人間以外のものとも共有されている世界にかかわる問題として考えることができるようになる。この立場から、私はメイヤスー、ハーマン、モートン、ガブリエル、モーテン、チャクラバルティ、グロス、柄谷、コールブルックを読み解き、アーレントとドゥルーズを読み解いてきたが、この一連の読解の試みは、脆さや定まらなさを理解するためのものであり、それとの関連で、世界についての思想的設定を変更するためのものであった。

人間的尺度を離れたところにある時空間にとりまかれ支えられているところとして、自分たちの生きているところを理解することが求められている。そのなかの一部において、人間もまた住みつき、他の諸存在にとりまかれ、連関しつつ存在していく。だが、とりまかれているというあり方、つまりは相互的連関における存在のあり方も脆い。世界から切り離されて孤立してしまうこともあれば、支配やコントロールの関係に転じてしまうこともある。あるいは、自らの世界を他の領域から区別する境界そのものが壊れ、自然世界に呑み込まれて、人間世界としての成り立ちそのものが消えてしまってカオスになってしまうこともある。

重要なのは、人間がいてもいなくても存在することが明らかになろうとしている世界において人間はまだ生きていると考えることであり、そこで人間がなお生きていくうえで何が大切になるのか、何が求められることになるのかを問うことである。人間生活の支えは、実際に住むということが起こるところである領域として形成されることになるだろう。一つの建築を設計することは、そこで営まれていく生活や活動のあり方に一定の枠を与えることを意味するが、その枠の成立は、生活や活動の未来のデザインにかかわってくる。そして、形成された領域で人間が生きるとき、そこにはまず身体があり、複数の身体が出会い、あるいはすれ違うところにおいて生じる気分があり、そしてこの気分を表す言葉や身振り、顔つきといったものが発生してくる。気分、言葉、身振り、顔つきは、公共圏を埋め尽くす常套句をもちいておこなわれるコミュニケーションの隙間で、もっと繊細で微細で、簡素な、はかなくて脆いが確かなものとして生じている。このはかなくて脆い、それでいて確かなものを、情報過多だが意味のない議論が飛び交う公共圏から解放されたところで捉え、考えてみたかった。

一九八〇年代に私が感じていたのは、世間では過剰なイメージが氾濫し、無意味な情報で埋め尽くされている、ということであった。その裏で何かが崩壊しつつあることは明らかなのに、誰もがそれを話題にしない。イメージと情報の氾濫に身を委ねた人たちは、現実において何が起きているのかなど考えようともせず、主体性を喪失し、内面を虚しくし、常套句を受け入れ、「集団的な没個体性」の状態に統合されていた。これは何かヤバいんじゃないか——私はいつもそう考えていたし、今もそう考えている。

本書で私が試みたのは、無意味で過剰なイメージと情報が世の表層を覆い尽くすなかで、主体性の喪失と思考停止、想像力の欠如を特質とする集団的没個体状態が優勢になっていく状況から逃れ、思考し、言葉を発することであった。そのためにも、集団的没個体状態が維持されている状況自体を崩壊しうるものとして捉えていくことが効果的だと考えた。そのうえで、私は、この状況に埋没している人たちには感覚されず思考もされていないものがある、と考えた。私たちは、私たちの生存基盤そのものを、じつは壊しつつある。この崩壊の現実から逃れるための領域として、無意味で過剰なイメージと情報過多の領域があり肥大化しているのだとしたら、それは多分、生存基盤の崩壊が無視できないほどにまで進行しないかぎり、崩壊することがない。

気候変動が、気候危機と呼ばれ、さらに人間の実存的危機にかかわる事態として論じられている。温暖化だけではない。地震や台風のような災害、さらには新型コロナウイルス……人間生活が、人間の意図を離れたところで発生する事態に影響され左右されてしまう、という潜在的な現実の兆候である。私たちが生きている世界そのものは変わってしまっている。災害やウイルスの発生は、あくまでも世界の変化に気づくためのきっかけでしかない。二〇一〇年前後に子どもだった人、そのとき生まれた人、さらに、その後に生まれた人たちは、多分、このとき生じた危機的事態をデフォルトとして身体に刻み生きていくことになるのだろうが、ここに始まる事態を的確に思考するためにも、なにか手がかりとなる著作が必要になるはずである。本書は、そのための一助としても書かれているが、今後、本書が試みたことをさらに展開するために考えておかねばならないことを最後に述べて、終えることにしたい。

本書を書こうと思ったのは、二〇一七年夏である。そのときの構想案は次のようなものだった。

震災、台風、津波といった災害において、自然は観念ではなく、人間世界をとりまき支えるリアルなものであり、そのなかで人間が生きていることへの自覚が迫られるようになっている。これとともに、「何がリアルか」をめぐる私たちの感性と思考のあり方、さらには思想、言葉の立て直しが迫られるようになっている。

本書は、二〇一〇年代より英語圏で起こりつつある新しい思想潮流（オブジェクト指向存在論、新しいエコロジー思想など）の紹介と導入を試みるものだが、その基調には、以上の関心がある。つまり、日本語でこれまで積み重ねられてきた思想の成果を意識しつつ、自然と人間の境界の不分明化、リアルなものの捉えがたさといった新しい思想課題をそこに導入し、展開と発展を試みる。

ここまで書いてきた段階で、改めて構想案を読み直してみて思うのは、少なくとも、最初の方針そのものは維持されていた、ということである。二〇一七年の夏、人に呼ばれることもなければ、こちらから会おうと思うこともめったにないという状況にあった私は、大阪北摂の借家の二階で、インターネットを頼りに情報を集め、文献を集め、読解し、ひたすら孤独に考えながら、書いていたのだった。ずっと孤独だったはずだが、自分がここで書いていることがこの世の動きと密かに連動していくのを感じていたからか、べつにおかしなことを書いているつもりもなく、わりと淡々と書き進めていたように思う。ただ、本書でも述べたように、豪雨や台風の凄まじさには恐怖を感じた。そのときの恐怖は、おそらく本書に反映されていると思われる。

私が本書で取り組んだ問題を考えるようになったのは二〇〇七年のことで、そのときはモートンのこともチャクラバルティのことも知らなかった。何がきっかけだったのか。それはマサオ・ミヨシとの出会いであった。何かの用事でミヨシ氏が京都に来たとき、彼のインタヴュー本である『抵抗の場へ』をてがけた洛北出版の編集者が開催した食事会に同席させてもらった。博士論文を書き終え、これからはたしてどうしたらよいか思案していた、まさにそのときであった。そこでミヨシは、これからの人文社会科学は環境学をベースにして再編される、と主張していた。

マサオ・ミヨシの名を日本で目にすることはあまりない。ときに『批評空間』や『ANY』などで断片的にその思考に触れることはあっても、いったいどういうことをやっている人なのか、ちゃんと伝わることはなかったと思う。ミヨシの逝去後に柄谷行人が書いた文章には、こう書かれている。

彼は一九二八年東京に生まれ、旧制一高・東大英文科を卒業後、一九五三年フルブライト交換留学生として渡米。ヴィクトリア朝文学を専攻して博士号を取得し、六四年には、カリフォルニア大学バークレー校で英文学教授となった。その後、日本文学についても書き始め、アメリカの日本学に画期的な影響を与えた。さらに、サンディエゴ校に移って、日本学をふくむさまざまな研究を行った。一方、一九六〇年代にバークレーで反戦運動を始めて以後、チョムスキー、サイード、ジェームソンらと並んで、行動的な知識人として知られるようになる。二〇〇九年一〇

月死去。(柄谷二〇一〇b、二一六頁)

ミヨシの著作の日本語訳は何冊かあり(『オフ・センター』など)、よく読むと日本の状況を世界のコンテクストに即して論じたものとしてはきわめて優れたものだと思われるのに、どういうわけか、彼が何を考えているのかが理解されていないというだけでなく、関心を向けられることもあまりなかった。

ミヨシの名は、エドワード・サイード(一九三五―二〇〇三年)の『文化と帝国主義』(一九九三年)に数回出てくる。日本の問題の核心部分を捉えた重要な議論として紹介されている。

現代日本の言語文化は質素で貧困化すらしている。そこに君臨するのはトークショーであり漫画本であり倦むことのない座談会でありパネルディスカッションである。この前例なき文化現象の発生源をミヨシは、日本の不安定な財源のなかに、また経済領域における全般的新機軸とグローバルな支配と文化言説における貧困なる退行現象と西洋依存という、二様の現象間の絶対的な矛盾のなかにみるのである。(サイード二〇〇一、二三五頁)

この捉え方は、日本の外に身を置くがゆえに可能になったといえるだろう。だが、それは、西洋の進んだ知を猿真似し、それを杓子定規に日本に適用して何かを言った気になる、という没主体的姿勢とは違う。ミヨシにとって、主体性は、きわめて重要な問題である(『オフ・センター』の第四章を参照のこと)。主体性は、西洋の猿真似の反対物である土着主義とも違う。日本的なものから距離を取りつつ(nativism の拒否)、西洋の知の猿真似も拒否し、自分で考える。そういう姿勢である。だから、ミヨシの日本認識は、日本の排外性を克服されざる封建性や狂信性と結び付けて論じる、といった近代主義的なものとは異なっている。より現実主義的な政治的分析が、その基礎にある。つまり、排外主義は、西洋、および他のアジア諸国との政治的な関係性に規定されている、というのである。

日本はまた一九四五年までなんとか占領されず、征服されずにきたごく少数の非西洋の国のひとつでもあった。このことから、世界の「一等」国であると思われていた地位に対する誇りと敏感さが生じ、また、以前の西洋の植民地に対する露骨な蔑視としてしばしば表面に現れる伝統的な排外主義が生じるのである。実際、日本自身の植民地主義は、日本人がその犠牲者と文化的・人種的にどれほど多くのものを共有しているかを知っていればこそ、西洋のそれに比べて野蛮なものとならざるを得なかったのである。(ミヨシ 一九九六、一七六頁)

ミヨシはサイードとも交流があったらしいが、彼らのスタンスはよく似ている。非西洋の文化圏に生まれ、アメリカに単身乗り込み、西洋的な知を徹底的に身に付けたうえで、西洋的なものを批判する、それも土着的なスタンスからではなく、西洋的な知のローカル性、帝国主義性を暴き立てる、というように。非西洋の立場から西洋の知を吸収し、それを組み替えていく。こういう知のあり方は、今はまだマイナーなのかもしれないが、これからの時代に何か斬新な視点が出てくるとしたら、こういうところなのだろう。ミヨシは、ある意味で、その先駆者だったのかもしれない。そして、ミヨシは明示的には述べていないが、日本独自の野蛮さとは「カラーライン」の問題でもある。非西洋であるにもかかわらず征服されなかったがゆえに、自分たちを西洋国と同一視しても、現実においては、自分たちはじつは征服される側にいてもおかしくはない、非西洋の立場にいる。西洋の一部であるという意識が、非西洋であるという現実を隠蔽する。

このカラーラインの問題と関連させるなら、ミヨシが英文学者から日本研究者に移行したのはわからなくもないし、その立場から国民国家の限界性や大学問題を論じるのもわからなくはない。細分化された学問領域の枠を超えた超学問領域を提唱するのも、彼の立場からすれば、自然な過程であろう。でも、いったいどうしてそれがエコロジーになるのか。

ミヨシは二〇〇九年に逝去したため、彼のエコロジー論は展開されないまま終わった。だから、そのアイデアを受け継ぎ、展開させるのは、われわれに残された課題であるように思う。

ミヨシは、環境危機をはじめとする人類的な課題が深刻化しつつあるなかで求められているのは、超学問的な領域の発案である、と述べている。それは「境界の秩序化への抵抗」を要する試みである。「超学問領域とは、それぞれの学問領域が消え去り、別の考え方と融合することを意味します。したがって、経済学と文学は一緒になるべきだし、経済学と生物学は一緒になるべきだ」（ミヨシ・吉本 二〇〇七、三二二頁）。

そこでは、哲学も変わらざるを得ない。ただの文献読解だけでなく、読解をつうじて身につけた思考を現実世界に向けていくことが求められるが、それだけでなく、世界の根本的な原理についての抽象的思考を自然科学の領域で解明されつつある事実との接点で検証していくこともまた求められる。

ガブリエルがハーバーマスを批判しながらいっているのも、まさにそのことである。ガブリエルがハーバーマスを批判するのは、ハーバーマスの世界についての概念が誤っているからである。ハーバーマスは、世界は「統制的理念」だと考えているが、これをガブリエルは「矛盾なく一貫した世界像」を提示するものであるという(Gabriel 2015a, p. 47/七一頁)。すべてを包括する、全体として統一された世界は存在しない、というガブリエルの信念からすると、この考えは誤りである。つまり、ガブリエルは、ハーバーマスの思考では世界の概念が、あらゆるものをその一部分として包括する統合的な全体性として、統制的な理念として考えられていることを批判する。

この批判は、概念の誤謬にかかわるだけではない。自然科学に圧倒されている哲学の現状とも関連している。ガブリエルの考えでは、ハーバーマスは「言語と言説の分析という小さな範囲を哲学のために確保し、現実についての知識の残余を自然科学と社会科学に委ねることに満足している」。つまり、ハーバーマスは、「統制的理念」としての世界が意味を持ちうる領域を大学のなかで確保し、防衛できていると信じている。だが、自然科学が世界についての独自の考察を発展させるだけでなく、それを現実の成り立ちにかんする新たな常識として定着させていくことにともなって、この領域は掘り崩されつつある(ibid., pp. 47-48/七一—七二頁)。

ガブリエルの考えに、私も同意する。哲学のためのものとして存在していた不可侵であったはずの領域(統制的理念のようなもの)が自然科学と技術の発展によって解体されようとしている現実を認めてかかる必要がある。重要なのは、この人文学の解体という現実において、哲学が自然科学に対抗的な新たな思考を発展させていくことである。哲学が解体されていく時代において、なおも哲学をするのだとしたら、自然科学の浸透以前に保たれていた不可侵領域を保守するのでは不十分で、さらに哲学的な思考の設定を変えていくことが求められるだろう。

といっても、文理融合などという題目のもとで哲学と科学の対話を行う、などということを自己目的化することになってはならない。人間の条件の危機と再生にかかわる哲学的な問いをしっかり定めていくことが、まずは大切である。ミヨシの思想の基本には、いかなる問いがあるのか。すでに述べたように、それは「人間の終焉」をめぐる問いである。

人間の死は、惑星の終わりではない。地球もまた、宇宙における他の惑星のすべてと同じく、最後には終わるだろう。だが、それはエコロジカルな問題とは何の関係もない。惑星の破壊には、まったく異なるたぐいの力を要する。そして、物理的なものとしての地球が存在するかぎり、惑星には別の種類の生命が存在することになるだろう。微生物、アリ、ネズミ、ゴキブリといった生命が。そして、生命が続くかぎり、別の種類の進化のサイクルが存在するだろう。すなわち、人間の終焉の後には、生命が、それも別の種類の生命が存在することになり、進化し、それに固有の文明を産出することになるだろう。新しいポストヒューマンな種が、それに固有の生のサイクルを持つことになる。(Miyoshi 2010a, pp. 46-47)

ミヨシのいう人間の終焉は、人間の絶滅の必然を説く終末論ではない。絶滅しうるものとして人間を考えることを意味する。それも、人間もまた住みつくところとしての惑星の定まらなさゆえに絶滅しうるものとしての人間である。いまだに絶滅せずに生きているものとしての人間である。人間を絶滅しうるものと捉えることで、私たちは人間中心主義的思考から解放されていく。そのとき、何がみえてくるだろうか。

(1)人間世界が終焉してもしなくても、惑星としての世界は存続する。どれほどまでに人間が強力になり、惑星のあり方を改変し、火山や地震に匹敵するほどの地質学的存在になったとしても、それでも地球そのものを破壊し、消滅させるほどの存在にはなれない。人間の終焉が起こるとしても、それは地球とはなんのかかわりもない。人間が立ち去り、人間が不在になったとしても、地球は存続する。のみならず、そのことで地球は人間から解放されることになるだろう。人間から解放された場所は、人間以外の動植物へと開かれていく。人間不在の環世界が新たに始まることになるだろう。ヒグマやサル、イノシシや鹿、タヌキたちが、人間と相関することのない世界において、勝手に繁殖することになる。

(2)人間の存在とはかかわりなく存在する世界は、人間以外の他の生命が住みつくところである。人間世界の終焉にともなって、生きた自然の織り成す有機的秩序から外れたところに形成された人間的秩序に従い成り立つ人間世界と、それをとりまく事物の世界、人間ならざるものの世界とを隔てる境界は、薄れることになるだろう。人間的秩序に従って形成された世界は、人間不在の、人間から解放された世界へと開かれていく。二つの世界のあいだには、人間的秩序から解放され、人間ならざるものと混じり合うなかで、人間もまた住みつくことになるところとしての世界が現れつつある。この世界では、ミヨシがいう、人間以後の存在としてのポストヒューマンが現れることが可能な余地も、また存在するかもしれない。

*

人間が、脆くて定まらず、しかも人間の尺度を超えた拡がりのなかの一部として、ちっぽけなものとして存在するのを支えてくれるものとして、人間の条件を考えること——これが本書の課題であった。ミヨシは、これを「包み込む全体性（inclusive totality）」と表現した。彼のいう「全体性」は、単一の普遍的価値基準で統合された一なる全体を意味しない。異種混交的な諸存在としての人間が、人間以外の存在もまた住みつくところとしての惑星的条件において、動的な連関を形成しつつ共存していくことを可能にする原理としての全体性である。「惑星に基礎をおく全体性を受け入れるとき、私たちは、私たちの唯一の真の公共空間と資源を残りのすべてと一緒にシェアする方法を発案していくことに、謙虚にも同意するだろう」（ibid., p. 261）。

ミヨシが書き残したものを読んでいたとき、もちろん私は今回書いた本のようなものを書くことになるなど、思いもしなかった。それでも、こうやって書き終えようとしている今、ミヨシとの出会いが重大なきっかけだったことに気づく。私はおそらく、彼のいう「惑星に基礎をおく全体性」の観点から、新しい共存のための形態を考えようとしてきた。

共存への問いは、生存の条件にかかわる。そして、生存の条件への問いは、人間が自滅するかしないかなどおかまいなく、人間的尺度を離れたところにあるものとしての地球的なものとの接点にあるものとして、人間の条件を問うことを意味する。生存への問いは、人新世における最大の問いである。チャクラバルティは「世界規模」における「種の生存」が問われていると主張する（Chakrabarty 2012, p. 15）。二〇〇〇年代にミヨシは、この問いが重要であることに気づいていた。

こうやってミヨシの知的遍歴を辿りつつ、私は、現在は人新世をも一部分とするもっと根本的な破綻または変動の状況なのではないか、と考え始めている。人新世の学説で言われているのは、人間活動が地球のあり方を変え、それにともなって人間の生存条件が危機に陥っている、ということである。地球的条件の変化にともない、私たちは、自分の存在条件についての思考を改めざるを得なくなっているが、日本に出自を持ちながらアメリカに行き、英語で思考し文章を書いていたミヨシの実践を辿りつつ、自分なりにこうして考え文章を書きつつ思ったのは、それはもしかしたら西洋由来の思想だけでは理解できない事態ではないか、ということである。

本書の第7章は、私が英語で書いた文章の日本語版である。つまり、私は本書を、英語論文を書きつつ書き進めてきた（Shinohara 2020）。ジャック・デリダを読みながらW・E・B・デュボイスについての著作を書き、日本の知的状況にも関心を抱くネイハム・チャンドラー氏と知り合ったのは、二〇一六年の夏だった。二〇一九年二月に再会したとき、英語で論文を書いたら自分がエディターとしてかかわっている雑誌に掲載する段取りを整えるから絶対に書くように、と言ってくれた。それを書きながら、私は以下のようなことを考えた。

それはまず、自分が考えていることは英語で書いても伝わるし、のみならず論文で提示した問題について一緒に考えてくれる人がいる、ということである。

日本にいると、日常的には英語を話さなくていい。メールを英語で書くことはあっても、普段は日本語で会話し、思考していることができる。だが、今回の本の文献一覧を見てもらうとわかるように、日頃の私は英語の本ばかり読んでいる。ということはつまり、読むことと書くことだけなら、日本でも英語で思考することは可能である。それでも、英語で論文を書くとき、私は西洋的な思考、アメリカ的な思考とは違う、何か別のものの思考を駆使せざるを得ないことに気づく。西洋的でない思考の持ち主が英語で書かないといけないとき、ただ日本語を英語に置き換えるのとは違う、別の英語の使い方をせざるを得ない。

何を手がかりにしたらいいのか。そのためにはやはり、マサオ・ミヨシや井筒俊彦、柄谷行人のように、日本に出自を持ちながら英語で書こうとした先人に学ぶのが手っ取り早い。そして、それを続けていくなかで、もしかしたら私がやろうとしているのは非西洋人としてグローバルに思考し書くということではないか、と考えるようになりつつある。

この場合、英語で書かれたものを日本語にし、日本の思想、人文系の学問の状況に紹介するというのとはまったく異なるやり方で書くことが求められる。チャクラバルティやモートン、さらにはモーテンが思考している状況そのもののなかに自分の思考を投げ入れたうえで、そこでそれなりに独自なことを考え、文章にしなくてはならない。英語で書かれたものを紹介し、説明するといったことは、あまり重要でない。紹介と説明はあくまでも前提であって、その前提に立って「私が考えていること」を主張しなくてはならない。それは「私が考えていること」を英語というグローバル言語に同化させていくこととも異なる。世界の皆が考えていることを英語で書くようになれば、透明で普遍的なグローバルコミュニケーションの公共圏が成立するのかもしれない。だが、そのコミュニケーションの透明さ、円滑さは、はたして、実際に生活するなかで感じる日常経験、場所の質感、生活空間に漂う音響性、さらには生活経験の奥底にある記憶、トラウマといった事柄を伝え合うものとして、十分だろうか。英語で書こうにも、ネイティヴではない私は、英語を日常的に用いる人とは違って、徹底的に形式的な文体を用いるよりほかないが、とはいえ、その形式的文体を駆動させる原点には、感じ、思考する私が、生きている。

私は現在、京都の左京区に住んでいて、主としてここに存在している。ここで思考し、文章を書く。私が感じ、考えていることを言葉にする。日本語で、ときに英語で。言葉にするとき、私はそれを哲学や詩の言葉が織り成すコンテクストに混ぜ込み、文章を紡ぎ出していくが、日本語であれ、英語であれ、この言語的なコンテクストは、生活経験を離れた形式的な言語である。その形式性ゆえに、生活にまつわる感覚や記憶、痛み、怒りの感情を素朴に表出させるものとしては、不十分である。それでも、私は形式化された文体を用いて、哲学的な思考を文章化しようとしている。日常的に生きている私と哲学的な文章を書く私のあいだにある差異、ないしは溝のようなものを、どうしたらいいのか。

ここにも、視差が発生している。視差は解消することのできないものとして存在してしまっている。形式化された文章を書く私の立場に立つかぎり感じることもできなければ思考することもできないことが、日常において生きている私をとりまく現実として、実際に生じている。チャンドラーがデュボイス読解と連関させて柄谷の視差についての考察を論じながら述べているように、そこで私は、一つの具体的な身体として、それも人種的な身体として、存在している。一方に、形式化された文章を書き、英語でも書こうとしている私がいるが、他方には、東洋人で男性の身体を有する私が存在している。形式化された普遍性を目指す私がいるが、それは東洋人の男の身体にまとわりつかれた私でもある。この両極を意識化するのがデュボイスのいう「二重の意識」だが、チャンドラーは、そこに生じる視差を保持することが「想像と理解と希望のための根本的な可能性である」と主張している(Chandler 2012, p. 18)。

マルクス主義のような西洋的普遍主義のもとでこの視差を解消しようとするなら、それは東洋人として生きてしまっている私の身体を無視することにつながるだろうし、この身体が感知する世界の豊かさをもないことにしてしまいかねない。「ここと今」において生き、動くこの身体の物質性、色があり、性別化されてしまっている身体の物質性を、やはり引き受けることが大切である、と私は思う。だが、他方には、これとの矛盾的視差において存在する、普遍に向かおうとする私の思考があることも確かである。私という人間から離れたところに存在するものとしての世界へ本当に迫るためには、普遍への観点が不可欠だが、私から離れつつ私をとりまく世界の深みに達するには、物質としての身体に備わる交感能力のようなものに頼らざるを得ず、そこを自覚するためにも、人種的身体としての私の身体が「ここと今」において動き存在していることを忘れてはならない。

気候変動の危機において浮上しつつある人間の条件の崩壊は、全世界的な事態である。西洋に限定されるものではない。ゆえに、とりわけ哲学をはじめとする人文科学では優勢だった西洋的な思考以外の思考を現代的に再生させていくことも、これから必須となるだろう。

本書で何度か検討した西田幾多郎も、非西洋としての東洋の思考の立場から、世界をめぐる哲学的思考を試みた。そして、本書が取り組んだ問いである「人間以後の世界」をめぐる考察は、じつは西田の思考からヒントを得ながら試みてきた。それは、世界を人間以後のものとして考えることで、つまり、たとえ人間が自滅しようと存続していくものとして考えることである。私たちは、人間世界と、人間がいてもいなくても存在する世界の二つが矛盾的に共存する状況において住みついている。西田の洞察は、現在、私たちが迎えつつある人間以後の状況を考えるための手がかりになる。私たちは、人間世界だけでは自己完結しえず、それをとりまく広大な世界に侵入されていく状況において生きるようになっている。それは、すでにある人間世界の崩壊だが、人間世界の外、つまりは他なる世界へと開かれることでもある。この他なるものとしての世界は、人間の歴史的世界に対する他であるが、西田はそれを生命の世界として考えようとした。

人新世における人間の生存条件について哲学的に考える際、そこで支えになりうる思想的原理のようなものがあるとしたら、それは何だろうか。人間的尺度を離れたところに広がる他なるものとしての世界を、西洋的な思考の伝統の外側にいるという現実を無視せずに考えるとしたら、いったい何が拠り所になるのか。西田は次のように述べる。それは「形なきものの形を見、声なきものの声を聞くといったもの」（西田 一九八七b、三六頁）である、と。形なきものの形とは、つまり、具体的な事物で満たされていないが、それでも何もないのではないところに成り立つ形のことである。生命の世界は形なきものの形として成り立っているということになるだろうが、さらにいうと、まさにこの形なきものの形こそが、私たちの存在条件としての世界が息づき、たしかに生きたものになることの支えである、と考えることもできるだろう。

形なきものの形――私はそれを、雑草が生い茂る場所に感じる。二〇一七年の初夏の午前、阪急宝塚線の沿線近くを自転車で走っていたとき、私はいつも雑草を見ていた。べつに見たいと思って見たわけでもなく、自ずと見えてしまっただけである。雑草は、空き地に生えている。それも、住宅が取り壊されたあとに残された空き地に生えている。住宅は、事物の集積でできている。住宅のなかにはテーブルがあり、寝具があり、台所があり、子どもの勉強道具があり、冷蔵庫があり、洗濯機がある。住宅が壊されて空き地になるということは、つまり、そこにあったはずの生活の場そのものもまた消えてしまうことで、消えた跡地は空白になるということなのだろうが、この空白は本当に何もないところなのか。空き地には雑草がある。空き地は、雑草が生えるところとして、存在しているのではないか。空き地に雑草が生えるとは、いかなることか。二〇一七年から一八年、空き地が雑草で満たされていくのを見ながら、私はいつもそんなことを考えていた。

空き地は既存の住宅の消滅の後に残された場所だが、そこに何が存在しようと、空き地は空き地として存在している。そして、雑草が生えてくるところであるかぎり、空き地という場所は生命を失っていない。もしかしたら、雑草で満たされた空き地は西田のいう生命の世界であって、私たちはおそらく、この雑草的空間の内側において自分たちの歴史的世界を形成していくことになるのだろう。私たちは、自分たちの歴史的世界において雑草的世界を写し、表現する。だが、現代において空き地は、ペットボトルやコンビニ弁当の空き箱が散乱するなかで、雑草が生い茂る空き地でもある。人間に住みつかれることなく放置されているが、人間が自らの生活を営むべく構築した人為的秩序の構成要素であった家や消費財の残骸が事物として残されている、廃棄物的な場所である。それでも、私は、ここでなおも、形なきものの形を見ようとしてきた。

もしかしたら、私は人間世界の外側のようなものを、雑草空間に見ていたのかもしれない。人間世界とその外の境界。外の世界、つまりは消滅後の世界と接するところ。人間世界は、この外縁にとりまかれているが、といっても、それを感じることのできる状態にある人は、じつは多くない。身の置きどころなく彷徨(さまよ)っていた私は、雑草空間を前にして呆然と佇み、そこに漂う生命を感じることで、正気を保とうとしていたのかもしれない。

＊

未来の予測は困難だが、それを想像することはできる。そのためには、出来事としての過去が痕跡として刻み込まれ蓄積されていくところとしての「この世界」へと我が身を沈潜させ、「この世界」を深く感じていくことが求められる。過去のなかに、未来の予兆を感じることだ。

それは世界の「ここ」を感じることだが、重要なのは聴くことである。モートンがたびたび述べているように、聴くこととは、とりまく世界の渦中において起こりつつある何かの予兆としての気配に調子(チューニング)を合わせていくことを意味する。

聴くことは、世界の深みへと沈潜し、その深みを感じていくというだけでなく、我が身の内をも掘り下げながら思考を進め、世界の深みで感じとられる気配としての予兆を確かめ、その内実が何であるかを想像し、明瞭なイメージにしていくことをも意味している。予兆に調子を合わせる際は、見えているものが手がかりになることもあるだろうし、あるいは味覚が手がかりになることもあるだろう。だが、おそらく、世界の深みに達することとしての沈潜において基本となるのは、聴くことだと思われる。

世界を埋め尽くす喧騒と空虚のすべてを知的に無意味と切り捨てるだけでなく、その無意味さを徹底的な確信にまで高めていくこと。そのためにも、喧騒と空虚で埋め尽くされようとしているこの世界とは違うところに確信の根拠を探し求めていく必要がある。私はモートンのいう「世界の感覚」にその手がかりがあると感じた。「それは、なんとなく触れることのできないものでありながら、あたかも空間そのものに物質的な側面があるごとく——こう考えるのは、アインシュタインのあとでは奇妙なことと思われるはずがない——、物質的であり物理的である」(Morton 2007, p. 33／六六頁)。とりまく世界、さらには触知できないものは、喧騒と空虚、イデオロギー、主観的な思いこみ、教条、SNSで拡散される低劣な誹謗中傷のもとで消されてしまいかねない、きわめて繊細なもののはずである。そして、この繊細さに触れていくには、喧騒と空虚から逃れるだけでなく、それらに立ち向かい、繊細さを守るだけの強さが、きっと必要になるはずだ。

そのようなことを考えていたときに出会ったのが、フランク・オーシャン(一九八七年生)の音楽だった。二〇一二年の『チャンネル・オレンジ』の最初の曲「シンキング・アバウト・ユー」では、フランクはただひたすらに「僕があなたのことを考えるとき、いつも僕は、あなたのことを考えていた。あなたは僕のこと考えてる？」と歌い、「あなたはもう僕のこと考えてないんじゃないの？　なぜなら、僕があなたのことをずっと考えているから」と歌う。ひたすらに、過去に目を向けていく歌である。だが、歌詞をあらためて読みながら聴いてみると、フランクは、かつての相手との出会いに際して、自らにおいて生じた感覚がまだ生きていることの確かさを確認しているようでもあると思われてくる。

「ピッチフォーク」のレヴュー記事では、フランク・オーシャンのアルバムに漂う気分を表すものとして、彼も参加しているジェイ・Z（一九六九年生）とカニエ・ウェスト（一九七七年生）のアルバム『ウォッチ・ザ・スローン』（二〇一一年）に収録されている「ノー・チャーチ・イン・ザ・ワイルド」の歌詞「何をも信じぬ無信仰者にとって、神がいったい何だというのか」を紹介している。もちろん、この問いには明確な答えなどないのだろうが、少なくとも言えるのは、本当に何も信じられなくなっている人間だったら、神が何だというのか、という問いすら出てくるはずもない、ということである。彼もまた、無理なく何かを信じることのむずかしい時代において、それでもなお、信じることの根拠を探し求めているのかもしれない。それが彼の、内省的なスタイルとなる。

フランク・オーシャンをヘッドフォンで聴きながら、空虚な喧騒を逃れた別世界に降りていく。そこにおいて、私が生きていることの確かさの根拠を、触知できない何かでありつつ私をとりまくところに求める。二〇一二年から数年、私の心身の基調が、こうやって定められていった。

そして、二〇一六年八月に、『ブロンド』がリリースされる。オバマ政権の末期のアメリカでは警察の蛮行（ポリス・ブルータリティ）が繰り返され、多くのアフリカ系アメリカ人が殺害されていた。「ピッチフォーク」のレヴューによると、黒人の権利を求める運動「ブラック・ライブズ・マター」が盛り上がるなかで、ビヨンセやケンドリック・ラマーが「正しさ」を掲げて歌ったのに対して、フランク・オーシャンの場合、「外の緊張が高まりつづけるなか、彼の静けさはただひたすらに強まっていった」。その沈黙は、たんなる無関心を意味しない。「そこには、総体的な観点への彼の希求があった。何が重要であるか、それへの見通しを失うことなく、〔蛮行を〕どうしたら鎮めることができるか」。そしてレヴューは続く。「その歌は、行進のためのものではない。ただたんに、決意に仕えるためのものである。それらは日々の生活についての歌であり、ただ存在していることの素晴らしさについての歌であり、これこそが主張そのものである」。さらにレヴューでは、『ブロンド』がブライアン・イーノに影響されている、とも書かれている。そこで重要なのは「エレキギターか、残された霧状の雰囲気のさりげない響き」である、と (Dombal 2016)。

『ブロンド』の最後の曲は「Futura Free」——「未来の自由」である。時給七ドルの立ちっぱなしの仕事で生き延びていたかつての日々とはうって変わって今では音楽で稼げる状態になって、自分は神ではなくただの人間だけれど、ときどき神のように感じることもあるし、でもそうではない、と自問自答とともに現在にいたる過去を内省的に歌い、ときに世の人びとに悪態をついたりもする。

この曲が興味深いのは、ある瞬間、突如「ねえ、君の名前は？（ファッツ・ユア・ネーム）」という問いかけとともに、歌い手であるフランク・オーシャンとは別の人たちに対するインタヴューと、それをめぐる雑談に転じるところだ。様々な人の声が、フランク・オーシャンをとりまくものとしての世界に生じるざわめきとなって聴こえてくる。冗談交じりのやりとりであっても、そこでかすかにわかる言葉の数々（たとえば、「死なずに永遠に眠りたい」、「一光年ってどのくらい長いのか、そんなことばかり考えていた」）は、フランク・オーシャンと共にいる人たちが、自らの思考を、現在を超えたところにある定まることのない未来に向けていることを示唆している。

喧騒を遮断し、内へと深く沈潜していく。過去を、思い出そうにも思い出せないところまで、感じなおそうとする。自問自答の言葉、そのほとんどは、もしかしたら、何の意味もなさないのかもしれないが、回想、悪態、会わなくなった人の思い出、最近のイザコザ、これらを思い出し、言葉にしていくことを積み重ねていくことで、私ももしかしたら、騒音とは異質な、ざわめきの感覚のなかへと出ていくことができるようになるのかもしれない。空虚な喧騒の遮断が、ざわめきが密かに、それでも確かなものとして生じる世界の広さへと出ていくための通路を開くことになる。

出てきたところは、どうなっているか。そこがおそらく、私が確かに生きていること、存在していることの支えなのだろうが、今はとりあえず、私が存在しているところはじつは定まらなさにおいて成り立っていた、ということはわかった。定まらない。それはモートンの基本主張でもあるが、彼がいうには、いつからか世界についてのイメージは固定化されてしまって、過去から現在への線形的な時間軸どおりに進展するものと信じられてしまい、だから突拍子もない変化など起こり得ないところだと考えられてしまっている。モートンの考えでは、世界イメージの固定化ゆえに、人は自分がいるところとしての場所をしっかり感覚できなくなってしまっている。世界の定まらなさに己の生身で触れていくには、固定化された世界イメージへの囚われから離れるだけでなく、この固定化の状態を緩めることもまた求められる。

固定化された世界イメージをなぞるのが、世の喧騒、マスメディアの言葉、メディアに迎合するだけの人たちの言葉である。問題なのは、これらの言葉の内容が虚偽（フェイク）かどうかではない。むしろ、人の心身を喧騒のもとへと連れ去って、世の現実の深みに沈潜させていくのを阻む、硬直した言葉の作用が問題なのである。

世の喧騒を離れたところに、現実世界はある。私がメイヤスーやモートンの議論から得た知見を一言でいうと、これに尽きる。だが、世の喧騒を離れたからといって、その世界は、かならずしも人間不在であるとはかぎらない。現実世界は、共同体的独我論の喧騒のなかにいまだに埋没している人たちを置き去りにしたところに広がっている。そこは、定まることがないし、つねに人知を超えた現実のもとで突如の変化の瀬戸際にある。

少なくとも、私は本書で、人間の意識や意志や目的設定を離れてしまった世界がいかなるものであるかを論じることはできた。人は現実に、そこで生きている。現実世界が定まらないといっても、それはただ、意識や意志にもとづく目的なるものが無効になるというだけのことである。言い換えると、現実世界を定まりうるものと考えてしまうことに何か無理があった、ということなのかもしれない。だから、「不安」や「不安定」という言葉をもちいて私が生きているところを述べてしまうことにも無理があるのかもしれない。定まらない動き――それはおそらく、気配、影のようなもののゆらめきといった、感覚的な形のようなものとして存在している。人間的なものとして定まりうると考えられていた世界は、気候変動、海面上昇、干魃、パンデミックとともに崩壊するのは確実だ。

壊れてしまうのは怖い。だから、巨大な堤防をつくる。堤防は物理的実在物だけでなく、私たちの心の周囲にもつくられていく。とはいえ、たとえ壊れたとしても、私たちはまだ生きている。べつに恐れなくていい。定まりうると考えられてきた世界など、あっさり崩壊しうることを知ってしまった私たちは、そこに空いていた穴から様々なものが入り込んでくるのを感じているのだから。

注

【はじめに】

1　一九八三年の『構造と力』で、浅田彰（一九五七年生）は述べている。「自然の秩序たるピュシスからはみ出し、カオスの中に投げ込まれた人間は、そこに文化の秩序を打ち立てねばならない。「自然の秩序は、はるかに強力に、ホメオスタシス、調整作用、プログラム化によって支配されている。人間の秩序こそが、無秩序の星（désastre?）の下に展開されるのである。」」（浅田　一九八三、三七頁）。同書は、人間が打ち立てた文化の秩序を、破綻しうるもの、崩壊しうるものとして考えることを課題としているが、おそらく、このことの根底には、自然はプログラム化によって支配されたものとして捉えることはできない、という感覚があると思われる。ちなみに、今西錦司（一九〇二―九二年）は、一九八二年の「自然問答」（対談形式の文章）で、どれほどまでに人間文明が発達しようとも自然世界の広大さを凌ぐことはできない、と述べている。

――私も人間は生物の一種であるということを、認めないものではありません。しかし今日の人間は、文化を持った動物として、もはや生物一般とは同列に取り扱いえない、ユニークな存在じゃないでしょうか。

――そのとおりです。しかし、人間は文化を手に入れたために、他の生物のやらない火なぶりをはじめて、ついには自滅しないともかぎらない。私のいう全体としての自然は、人間が自滅しようとしまいと、そんなことにはおかまいなしに、未来永劫にわたり、一つの自然として生きつづけてゆく。

――先生は今日の文明を評価しないのですか、この科学文明を。

――評価しないとはいわない。しかし、生物三十二億年の歴史からみたら、たかだか二、三百年間の出来事にすぎぬじゃないか。（今西　一九八六、二六―二七頁）

一九八〇年代には、まったく対極的な自然観があった。このズレを、たんなる世代の違いとして説明せず、もっと根本的な問題として考えることもまた現代の課題の一つだろうと思われる。ここには、おそらく「自然＝コントロール可能」vs.「自然＝人間世界を越えている」という対立があるのだろう。本書は後者の立場から議論している。

［プロローグ］

1　キリアンさんは、私のことをヴェネチア・ビエンナーレ国際建築展（二〇一六年）日本館のために書いたエッセー（篠原 二〇一六b）で知った、と教えてくれた。このエッセーは、じつはこのときの出展作家の一人である能作文徳（一九八二年生）とほとんど一緒に書いたようなものである。なお、建築・都市における脆さについては、二〇一九年一一月におこなった能作との対談でも述べたので、これも参照されたい（篠原・能作 二〇二〇）。

2　„Zuhandenheit“を「帰向存在」と訳したのは、九鬼周造（一八八八—一九四一年）である。この訳語を選んだ理由について、九鬼は、そこで「道具が常に他の道具へ帰向して「……にまで」（um zu ...）の存在性格を有っているから」だと述べている。なお、この概念に対置される„Vorhandenheit“を、九鬼は「直前存在」と訳している。その理由について、そこでものが「帰向性から切離された事物が抽象的に直前（vor）に存在しているからである」と述べている（九鬼 二〇一六、二八八頁）。

3　黒沢聖覇（一九九一年生）は、人間世界の外縁的領域に関心を向けたアーティストの一人として、彼と同世代の中園孔二（一九八九—二〇一五年）の作品群を論じている（黒沢 二〇一九）。そこで黒沢は、次のようにいう。「中園は、自身のスケッチブックにおいて、表現力とは、「見えないものを見ることができるものとして現象界に持ち帰ってくることが出来る力」という言葉を残している。この言葉が記されているページには、しゃがみ込んでスケッチをしようとする画家と思われる人物の頭上から、周囲をとりまくパペットたちの「あいだ」の輪郭のような線が描かれている。このドローイングはここまで述べてきた「アンビエンス」をなぞる外縁をあらわすひとつの例であるだろう。このスケッチでは、パペットたちが画家の内的な線の延長として外的に描き出されるようでもあるが、画家を「とりまくもの」として、線によって描き出される前からすでに内側と外側の「あいだ」に存在しているようでもある。つまりこのスケッチにおけるパペットたちは、画家の線によって視覚化される前から、「見えないもの」としてすでに存在しているようななにかである」。黒沢は、モートンの哲学との関連で中園の作品を論じているが、本書を書きながら私は、中園の絵を見つつモートンの哲学への理解を深めていった。実際、「外縁（アウター・エッジ）」という言葉は中園から得たのだが、黒沢の論文を読むなかで、彼と同時代の作家において共有されている感覚を言い表す言葉でもあることを理解した。

【第1章】

1 多木は、自分の問題意識の始まりにかんして、建築が物としての秩序を受け入れてしまっていることに対して、「そこに含まれた形而上学（イデオロギー）を排除ないしは相対化することにあった」と述べている。事物は客観的対象として存在し、それを操作することが建築である、という考えが無条件に信じられている状況に対して、多木は「人間が家に住むという出来事」を重視し、経験や記憶や意味という、客観的事物の秩序に還元することのできないものに着目する（多木 二〇〇〇、二一一頁）。それゆえに、多木はフッサールやメルロ＝ポンティの現象学に向かったが、そこからさらに記号論や象徴論に視野を広げ、家はただ生きられる空間であるだけでなく、「言語をはじめとする表象体系を介して「時間・空間を占拠掌握」し、「家のなかと家を中心にして、制御できる空間と時間を創造」（ルロワ＝グーラン）していたのである」（同書、一九六頁）。多木において、事物は、経験の秩序とは別の秩序に属する客観的対象として把握されている。これに対して、本書は事物を重視するが、多木が考える客観的対象としての事物とは異なる、経験に先立つ外的な領域に属するものとして考えていく。

2 チャクラバルティは、「歴史の気候」を書くことになったきっかけは二〇〇三年にオーストラリアのキャンベラで発生した森林火災だった、と述べている。「ある悲惨な年、二〇〇三年に、とてつもない火災旋風がキャンベラを焼き払い、三〇〇以上の家屋が破壊されたのだが、このときキャンベラ周辺にある私が好きだった自然の場所が失われてしまった。悲嘆のなかで、私はオーストラリアにおける森林火災の歴史を説明している著作を読もうとしたが、読めば読むほど、「人間が引き起こした気候変動」という現象が視界に浮上してきた。〔…〕私は「人間が引き起こした気候変動」が何であるかに興味をいだき、気候科学者が一般向けに書いたものを読み始めたとき、自分の世界像が揺らぐことになった」(Chakrabarty 2018c, p. 245)。

3 「我々が普通に唯一の世界と考えているいわゆる自然界は唯一つの世界であって、必ずしも唯一の世界ではない。我々は自然界が主観的自我を離れて存在すると考えると同一の理由を以て、否なお一層強き権利を以て、歴史の世界が客観的に存在すると主張することができると思う」、「歴史的世界は自然科学的世界に比して一層具体的実在と考えられるが、芸術の世界、宗教の世界はこれにもましてなお一層深い直接の実在であるということができる。とにかく、我々は種々の世界に属し、種々の世界に出入りしている」(西田 一九八七a、一六―一七頁)。自然科学で把握される世界を唯一絶対と見なすことに、西田は批判的である。ただし、彼は主観と相関するものとして世界を捉えることにも批判的で、自然科学的な客観化に従うことも人間主観と相関することもないものとして歴史的実在としての世界を考えようとする。そして、西田はそれを「深い直接の実在」と表現する。これについては、さしあたり、深さは、主観的自我からの遠さ、離れていくことを意味し、直接性は、主観ないしはドグマから解放された純粋さ、透明性において触れうる現実を意味している、と述べておく。

4 グロスの思考は、建築家だけでなく、ナイジェル・クラークをはじめとする地理学者にも影響を与え、人新世をめぐる哲学・人文学の潮流の一つをつくっている。詳しくは、下記のインタヴューを参照のこと(Yusoff, Grosz, Clark, Soldanha, and Nash 2012)。

5 磯崎は、現実の都市を廃墟と二重写しで感じていると言えるのではないか。この感覚は、戦後の都市が廃墟化をあたかもなかったことにしただけでなく二度と起こらない事態とみなして発展してきたことに対する無意識の違和感とも言える。一種のトラウマなのだろう。この違和感を哲学的な思考の根底において保持した思想の言葉を語りうるかどうかが今もなお問われるのだろうが、西田幾多郎の弟子である西谷啓治（一九〇〇—九〇年）は、その先駆者の一人である。一九六一年（太平洋戦争終結の一六年後であり、東京オリンピックの三年前である）に刊行された『宗教とは何か』所収の論文「宗教における人格性と非人格性」で、西谷は次のように述べている。「もとより銀座通りも何時かはすすき原に化す時もあるであろう。「弟子の一人いう、師よ、見給え、これらの石、これらの建物、いかに盛んならずや。イエス言い給う。なんじ此等の大いなる建物を見るか、一つの石も崩されずしては石の上に残らじ」である。併し薄原にならなくてもよい。銀座は現在の美しい銀座のままで薄原と観ることが出来る。いわば写真の二重写しのようにして見ることが出来る。むしろ実は、そういう二重写しが、真実の写しである。真実は二重である。百年たてば今日歩いている老若男女は一人も生きていない。しかし一念万年、万年一念というように、百年後の現在は今日すでに現在である。それ故、元気に歩いている生者そのままを、死者として二重写しに見ることが出来る。「稲妻や顔のところが薄の穂」は、銀座通りの句でもある」（西谷 一九六一、五八—五九頁）。

［第2章］

1 「相関主義とは、主観性と客観性の領域をそれぞれ独立したものとして考える主張を無効にするものである。私たちは、主体との関係から分離された対象「それ自体」を把握することはけっしてできないと言うのみならず、主体はつねにすでに対象との関係に置かれているのであって、そうでない主体を把握することはけっしてできない、ということも主張する」（Meillassoux 2008, p. 50／一六頁）。

2 言語的分節化を逃れてしまうものとして現実を考えていく井筒は、ジャック・デリダの哲学に親近感を抱いていた。井筒は、デリダの「ロゴス中心主義批判」の試みを、次のように捉える。すなわち、デリダが批判するのは「神であれ、イデアであれ、形相であれ、「意味」であれ、とにかく不変不動の実在（リアリティ）が、経験界の事物、事象の向う側に存在している、それを人間の意識が今、ここで、自己に現前させることができる」という考え方の根本にある「現前の形而上学」であるという。そのうえで、デリダの現実観について、次のように述べる。「いわゆる現実とは、流動する記号のたわむれ現象であり、いわゆる事物とは、永遠に現前することのないものの「痕跡」(trace) にすぎない。今、ここに、何かを捉えた、と思った瞬間、見ればそのものはもう手の中にはない。この「捉えそこない」がどこまでも続いていくのだ」(井筒 二〇一九、一一八頁)。そして、井筒はデリダの議論の深層にある独特の場所感覚に着目する。それは砂漠である。すなわち、「一定の場所」として定まることのない、場所ならぬ場所としての砂漠である。「きっかりと限界線で仕切られた場所は、どこにもない。自分の位置を据えつけるべき特定の場所はない。「一つのきまった場所、一つの囲み、他者を排除する地域、一つの特殊地区、ゲットー」はここにはないのだ。常に、どこまでも「彼方」であるような場所、経験世界には絶えて実在しないような場所、無限の過去であると同時に、無限の未来でもあるような場所。「砂漠」には「非・場」の夢がある」(同書、一一二頁)。

3 ときに、この世界像が思考の自由を奪い、世界像を共有しない者に対する無理解や決めつけに行きつくことになるだろう。さらに、世界の現実を無視することにもなりかねない。ビョークへのメールで、モートンは「イズムは長らく、現実を無視するものであった。言い換えると、人間ならざるものの無視である」と述べている (Björk and Morton 2015)。

4 こうなると、政治的正しさの観点から、現実の不正を暴き、のみならず裁くことが、アートの目的である、ということになりかねない。長谷川祐子は、二〇一九年に東京都現代美術館での展覧会「ダムタイプ―アクション+リフレクション」をめぐる高谷史郎(一九六三年生)との対談で、次のように述べている。「いまの世の中で一番欠けてるのはそれで、結局ネットの世界でもなんでも、実体のないところからポンと言葉——いじめだとか根拠のない風評——がいろいろ出てきて、誰を信じていいのかわからない」(長谷川・高谷 二〇一九)。ダムタイプにおいては「敵対関係は、信頼関係の上に成立する」という感覚が共有されていたということなのだろう。この感覚を欠落させた状態で、ムフのような外国の思想を直輸入して、それを根拠に「正しい意見」を他人に対して主張していく姿勢が是とされるなら、信頼関係の崩壊はさらに進行するだろう。

5 だが、二〇世紀の哲学では、論理や言語を基礎とする普遍主義が優勢であった。「論理や言語を扱うとなると、場所を考慮に入れることは一層なくなる。話したり考えたりする場所は、そうした活動にはまったく影響しない、と言わんばかりである」(Casey 1997, p. xii/一三頁)。思弁的実在論やオブジェクト指向存在論は、言語からの離脱を特徴とする。この動向のなかで、場所をあらためて考えるというのが、本書の意図である。

6 藤田正勝(一九四九年生)は、西田のいう「直接経験」は公共の言葉では語ることのできないものである、と述べている。「その点を西田は『善の研究』第二編「実在」の「真実在は常に同一の形式を有って居る」の章において、「実在の真景は唯我々が之を自得すべき者であって、之を反省し分析し言語に表わしうべき者ではなかろう」という言葉で言い表している。西田の主客対置に対する批判は、「公共の」尺度で測り、「公共の」言葉で語ることがすなわち真理を把握することであるという見方に対する批判でもあった」(藤田 二〇一一、二九頁)。

[第3章]

1 二〇一六年夏に私がライス大学を訪問したとき、モートンは「この著書は私のすべてを表している」と話していた。

2 レヴィナスの哲学とトラウマについては、村上 二〇一二を参照のこと。村上靖彦(一九七〇年生)は、レヴィナスのいう「ある(il y a)」を、トラウマ的な現実を隠蔽するものと捉え、それに対して「ある」(空気状のものとしての「ある」)が埋めるところとしての空虚な空間を、精神疾患状態にある人間が現実に住みつくところとして解釈する。彼が着目するのは、レヴィナスの次の議論である。「空間の空虚が見えない空気によって満たされているということ(風の愛撫や嵐の脅威であったにせよ知覚に対しては隠れていて、知覚されることはないにもかかわらず、私の内面性の襞に至るまで私に浸透している)、この不可視性、あるいはこの空虚が呼吸可能あるいは恐ろしいものであるということ、この不可視性が、無関心に済ますことができるようなものではなく、あらゆる主題化に先立って私に取り憑くということ、この単なる雰囲気 ambience が場の気分としてのしかかるということ〔…〕これが苦しむ〔…〕主体性を意味する」（同書、一四九頁）。

〔第4章〕

1　アーレントは、人間の現実感覚が「公共的な領域の存在に基づく」と述べ、これを「匿（かくま）われた存在の暗さ」と対置した。すなわち、私的領域の暗がりから抜け出たところに広がっている公共的な領域の明るみが現実感覚の支えになる、ということである。じつはアーレントも、公共的な領域の光のなかに現れ得ないものもまた存在することを認めているのだが、それに特有のリアリティについては十分に語っていない（Arendt 1958, p. 51／七六―七七頁）。

〔第5章〕

1　柄谷は、カントにおいて『視霊者の夢』が重要であることを知ったきっかけは、坂部恵（一九三六―二〇〇九年）の『理性の不安』（一九七六年）所収の論考だった、と坂部との対談で述べている。「カントの反省をもたらしたのは、この種のおぞましい視差だというのが、僕の考えです。ところが、実はこのことに気がついたのは、坂部さんの論文のおかげです。坂部さんの「理性の不安」という、カントの奇妙なエッセイ『視霊者の夢』を詳細に論じた論文を昔読みまして、それがずっと気になっていました。それで、『視霊者の夢』を読み直してみると、視差という概念がみつかった。そして、そこから考え直したのです。カントの超越論的な反省は、視差にもとづくものだ、と考えたわけです」（柄谷・坂部 二〇〇一、一九八頁）。

2　この点に関して、私はチャンドラーの議論から示唆を得ている。チャンドラーも、柄谷の「視差」の議論の普遍主義的傾向に対して、視差を解消し得ないものとして捉え、そこで定まらぬ存在として生きることの大切さを説く。

視差の解消しえなさこそが「想像と理解と希望のための唯一の可能性である」(Chandler 2012, p. 18) とチャンドラーは言う。

3 柄谷行人が愛読していた夏目漱石は、この世にいながら死のことをつねに考えていた。

不愉快に充ちた人生をとぼとぼ辿りつつある私は、自分の何時か一度到着しなければならない死という境地に就いて常に考えている。そうしてその死というものを生よりは楽なものだとばかり信じている。ある時はそれを人間として達し得る最上至高の状態だと思う事もある。

「死は生よりも尊とい」

こういう言葉が近頃では絶えず私の胸を往来するようになった。

然し現在の私は今まのあたりに生きている。(夏目 一九五六、二〇—二一頁)

4 『マトリックス』は、二〇一〇年代に顕著になった人新世をめぐる問題をも先取りしていた。たとえば、AI文明世界の警察ともいうべきエージェントのスミスが捕獲したモーフィアスにむけて、人間は地球にとって癌のようなものだから滅んだほうがよく、そのかわりにAIが文明を構築したほうが地球にはいい、と話すとき、そこには、生身の人間身体が地球におよぼす負荷を低減させ、AIをはじめとする機械装置で代替させたほうがいい、という発想があったと考えられる。

[第6章]

1 「(音を再現するのではなく) 音の質料を分子化し、原子化し、イオン化して、宇宙のエネルギーをとらえるにいたる音の機械。そのような機械が集合体を有することになるとしたら、そこに生まれるのはシンセサイザーだ。モジュール、音源や処理の要素、振動子、ジェネレーター、変成器などを組み合わせ、ミクロの間隙を調節することにより、シンセサイザーは音のプロセスそのものを聴取可能なものにし、このプロセスの生産も聴取可能にし、音の質料を超えた他の要素との関係にわれわれを導く」(Deleuze et Guattari 1980, pp. 423-424/(中)三八六頁)。

［第7章］

1 エコロジカルな危機の進展にともない、世界の他性、つまりは人間がいてもいなくても世界は存在するということへの気づきが高まるなか、それに応じた自覚が求められるが、この点にかんしては、ダノウスキーとヴィヴェイロス・デ・カストロの議論を参照のこと(Danowski and Viveiros De Castro 2017, p. 20)。

文献一覧

外国語文献

Arendt, Hannah 1958, *The Human Condition*, Chicago: University of Chicago Press.（ハンナ・アレント『人間の条件』志水速雄訳、筑摩書房（ちくま学芸文庫）、一九九四年）

Björk and Timothy Morton 2015, *This Huge Sunlit Abyss from the Future Right There Next to You...: Emails between Björk Guðmundsdóttir and Timothy Morton, October, 2014*, edited by James Merry, New York: Museum of Modern Art / London: Thames & Hudson.

Bonneuil, Christophe and Jean-Baptiste Fressoz 2016, *The Shock of the Anthropocene: The Earth, History and Us*, translated by David Fernbach, London: Verso.（クリストフ・ボヌイユ＋ジャン＝バティスト・フレソズ『人新世とは何か――〈地球と人類の時代〉の思想史』野坂しおり訳、青土社、二〇一八年）

Brassier, Ray, Iain Hamilton Grant, Graham Harman, and Quentin Meillassoux 2012, “Speculative Realism”, *Collapse*, 3, December, 2012: 307-450.

Bryant, Levi R. 2010, “Hyperobjects and OOO”, *Larval Subjects*, November 11, 2010 (https://larvalsubjects.wordpress.com/2010/11/11/hyperobjects-and-ooo/).

—— 2011, *The Democracy of Objects*, Ann Arbor: Open Humanities Press.

Buck-Morss, Susan 1992, “Aesthetics and Anaesthetics: Walter Benjamin’s Artwork Essay Reconsidered”, *October*, 62, Autumn 1992: 3-41.

Campagna, Federico 2018, *Technic and Magic: The Reconstruction of Reality,* London: Bloomsbury.

Casey, Edward S. 1997, *The Fate of Place: A Philosophical History,* Berkeley: University of California Press.（エドワード・ケーシー『場所の運命——哲学における隠された歴史』江川隆男・堂囿俊彦・大崎晴美・宮川弘美・井原健一郎訳、新曜社、二〇〇八年）

Cazdyn, Eric 2015, "Enlightenment, Revolution, Cure: The Problem of Praxis and the Radical Nothingness of the Future", in Marcus Boon, Eric Cazdyn, and Timothy Morton, *Nothing: Three Inquiries in Buddhism,* Chicago: University of Chicago Press, pp. 103-184.

Chakrabarty, Dipesh 2009, "The Climate of History: Four Theses", *Critical Inquiry,* 35(2), Winter 2009: 197-222.

—— 2012, "Postcolonial Studies and the Challenge of Climate Change", *New Literary History,* 43(1), Winter, 2012: 1-18.

—— 2016, "Humanities in the Anthropocene: The Crisis of an Enduring Kantian Fable", *New Literary History,* 47(2-3), Spring & Summer, 2016: 377-397.

—— 2018a, "Anthropocene Time", *History and Theory,* 57(1), March, 2018: 5-32.

—— 2018b, "Planetary Crises and the Difficulty of Being Modern", *Millennium: Journal of International Studies,* 46(3), May, 2018: 259-282.

—— 2018c, *The Crises of Civilization: Exploring Global and Planetary Histories,* New Delhi: Oxford University Press.

Chandler, Nahum Dimitri 2012, "Introduction: On the Virtues of Seeing——At Least, But Never Only——Double", *CR: The New Centennial Review,* 12(1), Spring 2012: 1-39.

Colebrook, Claire 2014, *Death of the PostHuman: Essays on Extinction*, Vol. 1, Ann Arbor: Open Humanities Press.

—— 2018, "Escaping Meaning, Escaping Music", *CR: The New Centennial Review*, 18(2): 9-34.

Danowski, Déborah and Eduardo Viveiros De Castro 2017, *The Ends of the World*, translated by Rodrigo Nunes, Cambridge: Polity Press.

Deleuze, Gilles et Félix Guattari 1980, *Mille Plateaux: capitalisme et schizophrénie 2*, Paris: Minuit.（ジル・ドゥルーズ＋フェリックス・ガタリ『千のプラトー——資本主義と分裂症』（全三冊）、宇野邦一・小沢秋広・田中敏彦・豊崎光一・宮林寛・守中高明訳、河出書房新社（河出文庫）、二〇一〇年）

Dombal, Ryan 2016, "Franc Ocean: Blonde", *Pitchfork*, August 25, 2016 (https://pitchfork.com/reviews/albums/22295-blonde-endless/).

Feenberg, Andrew 1999, "Experience and Culture: Nishida's Path 'To the Things Themselves'", *Philosophy East and West*, 49(1), January, 1999: 28-44.

Ferraris, Maurizio 2015, "New Realism: A Short Introduction", in *Speculations VI*, edited by Fabio Gironi, Michael Austin, and Robert Jackson, New York: Punctum Books, pp. 141-164.（マウリツィオ・フェラーリス「新しい実在論——ショート・イントロダクション」清水一浩訳、『現代思想』二〇一八年一〇月臨時増刊、一七七—一九九頁）

Gabriel, Markus 2015a, *Why the World Does Not Exist*, translated by Gregory S. Moss, Cambridge: Polity Press.（マルクス・ガブリエル『なぜ世界は存在しないのか』清水一浩訳、講談社（講談社選書メチエ）、二〇一八年）

—— 2015b, *Fields of Sense: A New Realist Ontology*, Edinburgh: Edinburgh University Press.

Grosz, Elizabeth 2008, *Chaos, Territory, Art: Deleuze and the Framing of the Earth*, New York: Columbia University Press.

—— 2019, “Interview with Elizabeth Grosz”, *The Architectural Review*, May 3, 2019 (https://www.architectural-review.com/essays/profiles-and-interviews/interview-with-elizabeth-grosz/10042212.article).

Habermas, Jürgen, Sara Lennox, and Frank Lennox 1974, “The Public Sphere: An Encyclopedia Article”, *New German Critique*, 3, Autumn 1974: 49-55.

Hamilton, Clive 2017, *Defiant Earth: The Fate of Humans in the Anthropocene*, Cambridge: Polity Press.

Harman, Graham 2002, *Tool-Being: Heidegger and the Metaphysics of Objects*, Chicago: Open Court.

—— 2005, *Guerrilla Metaphysics: Phenomenology and the Carpentry of Things*, Chicago: Open Court.

—— 2011, *Quentin Meillassoux: Philosophy in the Making*, Edinburgh: Edinburgh University Press.

—— 2012, “The Mesh, the Strange Stranger, and Hyperobjects: Morton’s Ecological Ontology”, *Tarp*, 2(1), Spring 2012: 16-19.

Karatani, Kojin 2003, *Transcritique on Kant and Marx*, translated by Sabu Kohso, Cambridge, Mass.: MIT Press.

Latour, Bruno 2017, *Facing Gaia: Eight Lectures on the New Climatic Regime*, translated by Catherine Porter, Cambridge: Polity Press.

Lingis, Alphonso 1998, *The Imperative*, Bloomington, Ind.: Indiana University Press.

Meillassoux, Quentin 2008, *After Finitude: An Essay on the Necessity of Contingency*, translated by Ray Brassier, London: Continuum.（カンタン・メイヤスー『有限性の後で――偶然性の必然性についての試論』千葉雅也・大橋完太郎・星野太訳、人文書院、二〇一六年）

Miyoshi, Masao 2010a, "Literary Elaborations", in *Trespasses: Selected Writings*, edited and with an introduction by Eric Cazdyn, Durham: Duke University Press, pp. 1-48.

—— 2010b, "Outside Architecture", in *Trespasses: Selected Writings*, edited and with an introduction by Eric Cazdyn, Durham: Duke University Press, pp. 151-158.（マサオ・ミヨシ「建築の外部」篠儀直子訳、『Anywise——知の諸問題』NTT出版、一九九九年、三一一三五頁）

Morton, Timothy 2002, "Why Ambient Poetics?: Outline for a Depthless Ecology", *The Wordsworth Circle*, 33(1), Winter 2002: 52-56.

—— 2007, *Ecology without Nature: Rethinking Environmental Aesthetics*, Cambridge, Mass.: Harvard University Press.（ティモシー・モートン『自然なきエコロジー——来たるべき環境哲学に向けて』篠原雅武訳、以文社、二〇一八年）

—— 2010, *The Ecological Thought*, Cambridge, Mass.: Harvard University Press.

—— 2011, "Hauntology and Non-Places", *Ecology without Nature*, May 28, 2011 (https://ecologywithoutnature.blogspot.com/2011/05/hauntology-and-non-places.html).

—— 2013a, *Realist Magic: Objects, Ontology, Causality*, Ann Arbor: Open Humanities Press.

—— 2013b, *Hyperobjects: Philosophy and Ecology after the End of the World*, Minneapolis: University of Minnesota Press.

—— 2017, *Humankind: Solidarity with Nonhuman People*, London: Verso.

—— 2018, "The Hurricane in My Backyard", *The Atlantic*, July 8, 2018 (https://www.theatlantic.com/technology/archive/2018/07/the-hurricane-in-my-backyard/564554/).

Moten, Fred 2003, *In the Break: The Aesthetics of the Black Radical Tradition*, Minneapolis: University of

Minnesota Press.

—— 2017, *Black and Blur*, Durham: Duke University Press.

—— 2018, *The Universal Machine*, Durham: Duke University Press.

Mouffe, Chantal 2008, "Art and Democracy: Art as an Agonistic Intervention in Public Space", in *Open: Art as a Public Issue. How Art and Its Institutions Reinvent the Public Dimension*, 14, May 1, 2008: 6-13.

Myers, Ella 2013, *Worldly Ethics: Democratic Politics and Care for the World*, Durham: Duke University Press.

Roffe, Jon and Hannah Stark 2015, "Deleuze and the Nonhuman Turn: An Interview with Elizabeth Grosz", in *Deleuze and the Non/Human*, edited by Jon Roffe and Hannah Stark, London: Palgrave Macmillan, pp. 17-24.

Santner, Eric L. 2006, *On Creaturely Life: Rilke, Benjamin, Sebald*, Chicago: University of Chicago Press.

Shinohara, Masatake 2020, "Rethinking the Human Condition in the Ecological Collapse", *CR: The New Centennial Review*, 20(2) [forthcoming].

Steffen, Will, Jacques Grinevald, Paul Crutzen, and John McNeill 2011, "The Anthropocene: Conceptual and Historical Perspectives", *Philosophical Transactions of the Royal Society A*, 369(1938), March, 2011: 842-867.

Steffen, Will, Johan Rockström, Katherine Richardson, Timothy M. Lenton, Carl Folke, Diana Liverman, Colin P. Summerhayes, Anthony D. Barnosky, Sarah E. Cornell, Michel Crucifix, Jonathan F. Donges, Ingo Fetzer, Steven J. Lade, Marten Scheffer, Ricarda Winkelmann, and Hans Joachim Schellnhuber 2018, "Trajectories of the Earth System in the Anthropocene", *PNAS: Proceedings of the National Academy of*

Sciences of the United States of America, 115(33), August 14, 2018: 8252-8259 (https://doi.org/10.1073/pnas.1810141115).（「人新世における地球システムの道筋」三ツ井孝仁訳、二〇一八年一二月（https://takahitomitsui.jimdofree.com/app/download/15257295622/Steffen2018_JapaneseTranslation.pdf?t=1567812373））

Stone, Allucquère Rosanne 1996, *The War of Desire and Technology at the Close of the Mechanical Age*, Cambridge, Mass.: MIT Press.（アルケール・ロザンヌ・ストーン『電子メディア時代の多重人格——欲望とテクノロジーの戦い』半田智久・加藤久枝訳、新曜社、一九九九年）

Wallace, David 2018, "Fred Moten's Radical Critique of the Present", *The New Yorker*, April 30, 2018 (https://www.newyorker.com/culture/persons-of-interest/fred-motens-radical-critique-of-the-present).

Yusoff, Kathryn, Elizabeth Grosz, Nigel Clark, Arun Saldanha, and Catherine Nash 2012, "Geopower: A Panel on Elizabeth Grosz's *Chaos, Territory, Art: Deleuze and the Framing of the Earth*", *Environment and Planning D: Society and Space*, 30(6), December, 2012: 971-988.

Žižek, Slavoj 2006, *The Parallax View*, Cambridge, Mass.: MIT Press.（スラヴォイ・ジジェク『パララックス・ヴュー』山本耕一訳、作品社、二〇一〇年）

日本語文献

浅田彰 一九八三『構造と力——記号論を超えて』勁草書房。

磯崎新 二〇〇三『建築における「日本的なもの」』新潮社。

磯部洋明 二〇一七「宇宙の演者か、それとも観察者か」、『現代思想』二〇一七年七月号、二一六—二二五頁。

井筒俊彦 二〇一九『意味の深みへ——東洋哲学の水位』岩波書店（岩波文庫）。

今西錦司 一九八六「自然問答」、『自然学の提唱』講談社（講談社学術文庫）二五―三一頁。
岡田利規 二〇一九、チェルフィッチュ×金氏徹平『消しゴム山』『消しゴム森』「作品概要」、チェルフィッチュウェブサイト（https://chelfitsch.net/activity/2019/07/eraser.html）。
柄谷行人 一九八九「鏡と写真装置」、『隠喩としての建築』講談社（講談社学術文庫）一五三―一六五頁。
――二〇一〇a『トランスクリティーク――カントとマルクス』岩波書店（岩波現代文庫）。
――二〇一〇b「天の邪鬼マサオ・ミヨシ」、『新潮』二〇一〇年一月号、二一六―二二一頁。
柄谷行人・坂部恵 二〇〇一「対談 カントとマルクス――「トランスクリティーク」以後へ」、『群像』二〇〇一年一二月号、一九四―二一〇頁。
九鬼周造 二〇一六「ハイデッガーの哲学」、『人間と実存』岩波書店（岩波文庫）。
黒沢聖覇 二〇一九「新たなるエコロジー下の「景色」の表現――中園孔二における「外縁」の検証を中心に」（東京藝術大学大学院国際芸術創造研究科修士論文）。
篠原雅武 二〇一六a『複数性のエコロジー――人間ならざるもの（ノン・ヒューマン）の環境哲学』以文社。
――二〇一六b「縁の空間論」、山名善之・菱川勢一・内野正樹・篠原雅武編『en［縁］――アート・オブ・ネクサス』TOTO出版、八―一五頁。
――二〇一七「多木浩二における「空間」――篠原一男の建築空間との対決をめぐって」、『人文学報』第一一〇号（二〇一七年七月）、京都大学人文科学研究所、四七―六九頁。
――二〇一八『人新世の哲学――思弁的実在論以後の「人間の条件」』人文書院。
篠原雅武・能作文徳 二〇二〇「人新世のエコロジーから、建築とアートを考える」、『Cosmo-Eggs｜宇宙の卵――コレクティブ以後のアート』torch press、二一一―二二五頁。
多木浩二 二〇〇〇『生きられた家――経験と象徴』（新装版）、青土社。

夏目漱石 一九五六『硝子戸の中』新潮社(新潮文庫)。
西田幾多郎 一九八七a「種々の世界」、上田閑照編『西田幾多郎哲学論集I 場所・私と汝 他六篇』岩波書店(岩波文庫)、七―三二頁。
―― 一九八七b「働くものから見るものへ」、上田閑照編『西田幾多郎哲学論集I 場所・私と汝 他六篇』岩波書店(岩波文庫)、三三―三六頁。
―― 一九八九「場所的論理と宗教的世界観」、上田閑照編『西田幾多郎哲学論集III 自覚について 他四篇』岩波書店(岩波文庫)、二九九―三九七頁。
西谷啓治 一九六一「宗教における人格性と非人格性」、『宗教とは何か――宗教論集I』創文社。
長谷川祐子 二〇一七『破壊しに、と彼女たちは言う――柔らかに境界を横断する女性アーティストたち』東京藝術大学出版会。
長谷川祐子・高谷史郎 二〇一九「長谷川祐子と高谷史郎が語る「ダムタイプ」のこれまでとこれから」、「美術手帖」ウェブサイト、二〇一九年一二月二八日(https://bijutsutecho.com/magazine/interview/21099)。
藤田正勝 二〇一一『西田幾多郎の思索世界――純粋経験から世界認識へ』岩波書店。
ミヨシ、マサオ 一九九六『オフ・センター――日米摩擦の権力・文化構造』佐復秀樹訳、平凡社。
ミヨシ、マサオ・吉本光宏 二〇〇七『抵抗の場へ――あらゆる境界を越えるために マサオ・ミヨシ自らを語る』洛北出版。
村上靖彦 二〇一二『レヴィナス――壊れものとしての人間』河出書房新社(河出ブックス)。
米田知子 二〇一二「インタビュー 感光される時間の層」、『ART iT』ウェブサイト、二〇一二年二月一日(https://www.art-it.asia/u/admin_ed_feature/okikhyr34qftclo976fe)。
―― 二〇一三『暗なきところで逢えれば We shall meet in the place where there is no darkness』東京都写真美

術館・平凡社編、ザ・ワード・ワークス（ルース・マクレリー）＋ギャビン・フルー訳、平凡社。

邦訳文献

アンダース、ギュンター　二〇一六『核の脅威——原子力時代についての徹底的考察』青木隆嘉訳、法政大学出版局（叢書・ウニベルシタス）。

サイード、エドワード・W　二〇〇一『文化と帝国主義2』大橋洋一訳、みすず書房。

ベンヤミン、ヴァルター　一九九五「複製技術時代の芸術作品」、『ベンヤミン・コレクション1——近代の意味』浅井健二郎編訳、久保哲司訳、筑摩書房（ちくま学芸文庫）、五八三—六四〇頁。

あとがき

私は、二〇一七年から二〇二〇年にかけて起きたこと、出会えた人、日々の経験で感じたこと、考えたこと、思い出したことを忘れたくないと思いつつ、本書を書いていた。書くのは孤独で、私的なことだが、この孤独さにおいて、私をとりまくところに生じた大小様々な出来事に感じたエッセンスを本書に濃縮したいと思った。今はまだ抽象的な哲学の本など読むことのできない子どもたちや、コロナ以後という状況において新たに生まれてくる人たちは、本書をどのようにして読むのだろうか。

本書は、来たるべき未来人のために書かれている。未来人たちが生きるようになった状況がいかにして今あるものとなったかを振り返るための手がかりとして読まれることになるだろう。もちろん、未来人のなかには、現在の私も含まれているし、今この本を読んでくれているあなたも含まれるはずである。

本書は、講談社の互盛央氏との出会いなくしては存在することがなかった。二〇一七年八月、新宿の喫茶店で最初の打ち合わせをして以来、何度か打ち合わせをした。それは打ち合わせというよりは、むしろ研究会であり、議論の会であった。私のようなスタイルで思考し文章を書く人間には、自分が考えていることが他人にどう受けとめられるかを確かめるための場が大切で、だからこそ、研究会のような場で議論するのは、貴重なことである。人文系の著書の書き手である互氏との議論の会は、とてもありがたいものであった。二〇一七年の夏、話せる人は本当に少なかった。互氏に感謝を捧げる。

篠原雅武

二〇二〇年六月二七日

篠原雅武（しのはら・まさたけ）

一九七五年、神奈川県生まれ。京都大学大学院人間・環境学研究科博士課程修了。博士（人間・環境学）。現在、京都大学総合生存学館（思修館）特定准教授。専門は、哲学、環境人文学。

著書に、『公共空間の政治理論』（人文書院）、『空間のために』、『全-生活論』（以上、以文社）、『生きられたニュータウン』（青土社）、『複数性のエコロジー』（以文社）、『人新世の哲学』（人文書院）。

訳書に、マヌエル・デランダ『社会の新たな哲学』（人文書院）、ティモシー・モートン『自然なきエコロジー』（以文社）など。

「人間以後」の哲学

人新世を生きる

二〇二〇年　八月　六日　第一刷発行
二〇二一年　五月一三日　第二刷発行

著者　篠原雅武

発行者　鈴木章一
発行所　株式会社 講談社
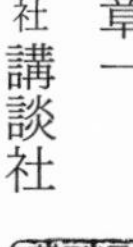
東京都文京区音羽二丁目一二—二一　〒一一二—八〇〇一
電話（編集）〇三—三九四五—四九六三
（販売）〇三—五三九五—四四一五
（業務）〇三—五三九五—三六一五

装幀者　奥定泰之
本文印刷　株式会社 新藤慶昌堂
カバー・表紙印刷　半七写真印刷工業 株式会社
製本所　大口製本印刷 株式会社

定価はカバーに表示してあります。

ISBN978-4-06-520781-9　Printed in Japan
N.D.C.100　288p　19cm

講談社選書メチエの再出発に際して

講談社選書メチエの創刊は冷戦終結後まもない一九九四年のことである。長く続いた東西対立の終わりはついに世界に平和をもたらすかに思われたが、その期待はすぐに裏切られた。超大国による新たな戦争、吹き荒れる民族主義の嵐……世界は向かうべき道を見失った。そのような時代の中で、書物のもたらす知識が一人一人の指針となることを願って、本選書は刊行された。

それから二五年、世界はさらに大きく変わった。特に知識をめぐる環境は世界史的な変化をこうむったとすら言える。インターネットによる情報化革命は、知識の徹底的な民主化を推し進めた。誰もがどこでも自由に知識を入手でき、自由に知識を発信できる。それは、冷戦終結後に抱いた期待を裏切られた私たちのもとに差した一条の光明でもあった。

その光明は今も消え去ってはいない。しかし、私たちは同時に、知識の民主化が知識の失墜をも生み出すという逆説を生きている。堅く揺るぎない知識も消費されるだけの不確かな情報に埋もれることを余儀なくされ、不確かな情報が人々の憎悪をかき立てる時代が今、訪れている。

この不確かな時代、不確かさが憎悪を生み出す時代にあって必要なのは、一人一人が堅く揺るぎない知識を得、生きていくための道標を得ることである。

フランス語の「メチエ」という言葉は、人が生きていくために必要とする職、経験によって身につけられる技術を意味する。選書メチエは、読者が磨き上げられた経験のもとに紡ぎ出される思索に触れ、生きるための技術と知識を手に入れる機会を提供することを目指している。万人にそのような機会が提供されたとき初めて、知識は真に民主化され、憎悪を乗り越える平和への道が拓けると私たちは固く信ずる。

この宣言をもって、講談社選書メチエ再出発の辞とするものである。

二〇一九年二月　　野間省伸

MÉTIER

ヘーゲル『精神現象学』入門　長谷川 宏
カント『純粋理性批判』入門　黒崎政男
知の教科書　ウォーラーステイン　川北 稔編
人類最古の哲学　カイエ・ソバージュＩ　中沢新一
熊から王へ　カイエ・ソバージュⅡ　中沢新一
愛と経済のロゴス　カイエ・ソバージュⅢ　中沢新一
神の発明　カイエ・ソバージュⅣ　中沢新一
対称性人類学　カイエ・ソバージュⅤ　中沢新一
知の教科書　スピノザ　C・ジャレット 石垣憲一訳
知の教科書　ライプニッツ　梅原宏司・川口典成訳 F・パーキンズ
知の教科書　プラトン　三嶋輝夫ほか訳 M・エルラー
フッサール　起源への哲学　斎藤慶典
トクヴィル　平等と不平等の理論家　宇野重規
完全解読　ヘーゲル『精神現象学』　竹田青嗣 西 研
完全解読　カント『純粋理性批判』　竹田青嗣
本居宣長『古事記伝』を読むＩ～Ⅳ　神野志隆光
分析哲学入門　八木沢 敬

ドイツ観念論　村岡晋一
ベルクソン＝時間と空間の哲学　中村 昇
精読　アレント『全体主義の起源』　牧野雅彦
九鬼周造　藤田正勝
夢の現象学・入門　渡辺恒夫
ヨハネス・コメニウス　相馬伸一
アダム・スミス　高 哲男
ラカンの哲学　荒谷大輔
記憶術全史　桑木野幸司
オカルティズム　大野英士
新しい哲学の教科書　岩内章太郎
アガンベン《ホモ・サケル》の思想　上村忠男

講談社選書メチエ　世界史

MÉTIER

- 英国ユダヤ人　佐藤唯行
- オスマンvs.ヨーロッパ　新井政美
- ポル・ポト〈革命〉史　山田　寛
- 世界のなかの日清韓関係史　岡本隆司
- アーリア人　青木　健
- ハプスブルクとオスマン帝国　河野　淳
- 「三国志」の政治と思想　渡邉義浩
- 海洋帝国興隆史　玉木俊明
- 軍人皇帝のローマ　井上文則
- 世界史の図式　岩崎育夫
- ロシアあるいは対立の亡霊　乗松亨平
- 都市の起源　小泉龍人
- 英語の帝国　平田雅博
- 異端カタリ派の歴史　ミシェル・ロクベール　武藤剛史訳
- ジャズ・アンバサダーズ　齋藤嘉臣
- モンゴル帝国誕生　白石典之
- 〈海賊〉の大英帝国　薩摩真介
- フランス史　ギヨーム・ド・ベルティエ・ド・ソヴィニー　鹿島　茂監訳／楠瀬正浩訳
- 地中海の十字路＝シチリアの歴史　藤澤房俊
- 月下の犯罪　サーシャ・バッチャーニ　伊東信宏訳
- シルクロード世界史　森安孝夫
- 黄禍論　廣部　泉
- イスラエルの起源　鶴見太郎

講談社選書メチエ　社会・人間科学

MÉTIER

日本語に主語はいらない　金谷武洋
テクノリテラシーとは何か　齊藤了文
どのような教育が「よい」教育か　苫野一徳
感情の政治学　吉田　徹
マーケット・デザイン　川越敏司
「社会(コンヴィヴィアリテ)」のない国、日本　菊谷和宏
権力の空間／空間の権力　山本理顕
地図入門　今尾恵介
国際紛争を読み解く五つの視座　篠田英朗
中国外交戦略　三船恵美
易、風水、暦、養生、処世　水野杏紀
「こつ」と「スランプ」の研究　諏訪正樹
丸山眞男の敗北　伊東祐吏
新・中華街　山下清海
ノーベル経済学賞　根井雅弘編著
氏神さまと鎮守さま　新谷尚紀
日本論　石川九楊

丸山眞男の憂鬱　橋爪大三郎
「幸福な日本」の経済学　石見　徹
危機の政治学　牧野雅彦
主権の二千年史　正村俊之
機械カニバリズム　久保明教
養生の智慧と気の思想　謝心範
暗号通貨の経済学　小島寛之
電鉄は聖地をめざす　鈴木勇一郎
日本語の焦点　日本語「標準形(スタンダード)」の歴史　野村剛史
ヒト、犬に会う　島　泰三
解読　ウェーバー『プロテスタンティズムの倫理と資本主義の精神』　橋本　努
AI時代の労働の哲学　稲葉振一郎
ワイン法　蛯原健介
MMT　井上智洋
快楽としての動物保護　信岡朝子
手の倫理　伊藤亜紗
現代民主主義　思想と歴史　権左武志